L'alimentation crétoise adaptée
Mes 101 recettes express

Josiane Cyr, nutritionniste

Édité par **Le Groupe EFFIscience inc.**

Recherche et rédaction
Josiane Cyr

Administration
Éric Caron

Graphisme
Luc Boivin, Bleu Communication graphique

Révision linguistique
Brigitte Fournier

Stylisme culinaire
Josiane Cyr et Caroline Tanguay

Analyse nutritionnelle des recettes
Caroline Tanguay

Révision des menus
Cathy Dion et Marylène Turmel

Secrétariat
Sonya Morel

Photographies (recettes)
Jean-Christophe Pelletier

Photographies (portraits)
Alexandre Parent, Studio Point de vue

Impression
Québécor

Distribution
Hachette Canada

© 2003, Le Groupe EFFIscience inc.

Le Groupe EFFIscience inc.
1045, chemin Ste-Foy
Québec (Québec)   G1S 2L8

Tél. : (418) 650-5352
Téléc. : (418) 527-5048

info@effiscience.com

Catalogage avant publication de la Bibliothèque
nationale du Canada

Cyr, Josiane, 1966-

L'alimentation crétoise adaptée : mes 101 recettes
express

« Avec photos couleurs ».
Comprend des réf. bibliogr.

ISBN 2-9808197-0-0

1. Cuisine - Grèce - Crète. 2. Cuisine santé. 3.
Alimentation. 4. Cuisine grecque. I. Groupe
EFFIscience. II. Titre.

TX725.G73C97 2003
641.59495'9
C2003-941815-4

Dépôt légal : 3ᵉ trimestre 2003

Bibliothèque nationale du Québec

ISBN 2-9808197-0-0

LE RÉGIME CRÉTOIS, UN ART DE VIVRE

L'engouement des gens d'ici pour le régime crétois ne se dément pas. Ce livre de recettes se veut à la fois une invitation au plaisir, une aventure gastronomique et une approche nutritionnelle visant à conserver la santé et à retarder les effets du vieillissement. Ces plats et ces menus sont inspirés des principes de l'alimentation méditerranéenne et tout particulièrement crétoise, dont les effets hautement protecteurs se confirment de plus en plus par des études scientifiques. Réduction du nombre de maladies cardiovasculaires, diminution des risques de cancer, baisse de la mortalité : les recherches démontrent un réel impact sur l'espérance de vie des personnes qui suivent ces principes, et ce, tout en étant en bonne santé. Et si certains demeurent sceptiques que ces habitudes alimentaires, remontant à l'Antiquité, soient compatibles avec notre mode de vie, il semble au contraire qu'elles se transposent aisément en dehors de l'île de Crète. D'ailleurs, les études le confirment : les principes du régime crétois sont adoptés sans difficulté par des personnes de différentes cultures. Il suffit d'opter pour des ingrédients et des plats adaptés aux goûts de chacun, tout en respectant l'équilibre nutritionnel basé sur le modèle crétois. Bref, le choix des recettes proposées n'a pas de frontières et peut s'inspirer de toutes les cuisines du monde. Il n'en tient qu'à vous de l'intégrer à votre quotidien.

C'est donc pour faciliter cette transition vers l'alimentation de type crétois que j'ai inclus dans ce volume plusieurs recettes simples à base de légumineuses, de poisson, de volaille, de légumes et de fruits, de tofu, de grains entiers et de noix. Les viandes et les sucreries n'ont pas été exclues, mais elles occupent une place fort modeste, de mise avec l'optique du régime crétois. Par ailleurs, puisque je constate un manque flagrant de variété dans la consommation des céréales, j'ai proposé dans ce livre une panoplie de recettes qui incluent des grains différents : teff, millet, sarrasin, quinoa, kamut, épeautre. Ces aliments pourront vous sembler peu familiers et vous demanderont parfois un peu de recherche. Tous ces produits sont disponibles au Québec via certains grossistes en alimentation naturelle. La plupart des boutiques d'alimentation naturelle les offrent, ainsi qu'un nombre grandissant de supermarchés. Voyez cela comme une occasion d'explorer des grains nouveaux et des saveurs inusitées, avec en prime une valeur nutritive souvent exceptionnelle. Notez que, dans plusieurs des recettes proposées, les grains et farines utilisés sont interchangeables. Les alternatives sont généralement signalées au bas de la liste des ingrédients.

Il est bon de se rappeler que l'inspiration crétoise va bien au-delà d'un choix d'aliments. Le régime crétois est également synonyme de mode de vie sain, incluant une activité physique régulière, un peu de vin rouge à table, le fait de manger en bonne compagnie en discutant de choses et d'autres et de savoir se détendre. Bref, c'est un art de vivre ! Dans ces 101 recettes rapides illustrées, j'ai mis tout mon cœur de cuisinière passionnée et toute ma science de nutritionniste afin que le produit final rassemble plaisir et santé dans la même assiette. J'espère qu'elles vous plairont ainsi qu'à vos proches par leur simplicité, leurs qualités nutritionnelles et leur bon goût.

Josiane Lyr

REMERCIEMENTS

Ce premier livre de recettes germait dans mon esprit depuis belle lurette. Exerçant la nutrition clinique en cabinet privé depuis maintenant 11 ans, j'ai eu maintes fois l'occasion de partager mes recettes favorites avec diverses personnes. Les clients qui me rencontraient pour des consultations individuelles, les lecteurs de ma chronique dans le quotidien *Le Soleil*, les travailleurs de divers milieux et, il va de soi, mon conjoint, ma famille , mes collègues et mes amis, ont tous été à la fois les instigateurs, les sources d'inspiration, les cobayes et les commentateurs de mes créations culinaires. Jean-Christophe, mon amoureux, particulièrement impliqué du fait que nous partageons les joies et les aléas du quotidien, a été à la fois le photographe des recettes de ce livre, mon allié de toujours et le critique le plus impitoyable de mes recettes. Grâce à ses bons soins, cent fois sur le métier j'ai remis mon ouvrage, avec comme résultat des mets plus savoureux et plus agréables au palais. Je l'en remercie. Tout comme je remercie tous ceux qui, par leurs idées, leurs encouragements et leurs commentaires, m'ont incitée à poursuivre mon projet dans cette voie.

Je ne pourrais passer sous silence la participation active de nombreuses autres personnes dans la mise au point de cet ouvrage : Éric Caron, mon principal associé dans le Groupe EFFIscience et mon partenaire dans ce projet ; Luc Boivin, concepteur graphiste doté d'une rare patience de Bleu Communication graphique ; Steve Caron et Pierre Martel, des Imprimeries Québécor ; Christian Chevrier et toute l'équipe de Hachette Canada ; Alexandre Parent, photographe, pour les portraits des couvertures ; Daniel Pinard, pour ses judicieux conseils sur les recettes ; Jeanne-Marie Ho De Keyser, nutritionniste ; Marie-Claire Barbeau, nutritionniste de Diabétaide ; Anne-Marie Tosi et Liane Lapointe, ainsi que les diététistes de l'équipe EFFIscience, qui ont participé à la préparation des plats pour les séances de photo ; Mathieu Bouthillette, qui a fourni des articles de cuisine et du matériel photographique ; Sonya Morel, qui a pris en charge le secrétariat ; Brigitte Fournier, linguiste, qui a révisé tous les textes et les recettes de ce volume ; Marylène Turmel et Cathy Dion, nutritionnistes qui ont revisé les menus et Caroline Tanguay, nutritionniste, pour la recherche, l'analyse de la valeur nutritive des recettes et sa participation au stylisme culinaire. Merci également à sa mère pour ses idées de recettes. Merci au programme Jeunes Volontaires pour avoir soutenu ce projet.

Finalement, je tiens à remercier ma mère dont le talent culinaire et les trouvailles m'ont maintes fois inspirée et mon père qui, par son intérêt marqué pour l'alimentation et la santé, a certainement influencé mon choix de carrière dans ce domaine passionnant qu'est la nutrition.

S'inspirer de la sagesse crétoise

Au fil des années, en exerçant mon métier de nutritionniste, j'ai fait des découvertes qui ont eu sur moi une grande influence. L'une des plus puissantes a certainement été l'alimentation crétoise. Ce régime plusieurs fois millénaire des habitants de l'île de Crète, au sud de la Grèce, repose sur des principes très simples : abondance de légumes et de fruits, pain et grains complets, légumineuses et noix, huile d'olive à profusion, poisson, volaille et œufs sur une base régulière ; très peu de viande rouge, de beurre ou de crème et des sucreries seulement lors d'occasions spéciales. Le faible taux de maladies coronariennes et de cancers dans la population crétoise a été découvert à la suite de l'*Étude des sept pays* qui a débuté vers la fin des années cinquante par le chercheur Ancel Keys[1]. En effet, la population crétoise avait une longévité exceptionnelle et très peu de mortalités par maladies du cœur, contrairement aux pays tels que la Finlande, les États-Unis et la Hollande. Même les pays qui bordent la Méditerranée, comme l'Italie, l'ex-Yougoslavie et l'île de Corfou en Grèce montraient des taux de maladies du cœur moins élevés que dans les pays du Nord, mais quand même supérieurs à ceux de la Crète. Les chercheurs ont finalement compris, à juste titre, que l'alimentation des Crétois leur assurait cette santé magnifique.

Plus récemment, l'effet protecteur de l'alimentation crétoise a été démontré de manière magistrale par l'*Étude de Lyon*, conduite par Serge Renaud et Michel De Lorgeril[2]. L'adoption d'une alimentation crétoise adaptée par des sujets lyonnais déjà touchés par un premier infarctus, a permis de réduire les risques de maladies du cœur de plus de 70 %. Du jamais vu ! Ces résultats, publiés pour la première fois en 1994 dans la revue scientifique *Lancet*, surpassent ce qu'aucun médicament n'a réussi à faire, soit de réduire de façon marquée et en peu de temps la mortalité en général et tout spécialement celle consécutive aux maladies cardiaques.

Bref, les chercheurs ont réussi à démontrer, d'une part, que le régime crétois protégeait la santé et, d'autre part, que c'était possible de le mettre en pratique dans une collectivité autre que la population crétoise.

Par ailleurs, l'*Étude des sept pays* avait permis de constater que les cas de cancers étaient plutôt rares en Crète. Or, des analyses statistiques menées à la suite de l'*Étude de Lyon* sur les personnes ayant suivi le régime crétois depuis plus de quatre ans montre une incidence réduite des taux de cancers[3]. D'autres études sur le régime méditerranéen viennent appuyer cette information[4,5]. Ces données encourageantes confirment donc que les régimes crétois et méditerranéen protègent aussi du cancer. Une raison de plus pour les adopter !

Le rôle majeur des bons gras

On attribue une part importante des effets protecteurs de l'alimentation crétoise aux types de gras consommés. On sait que les niveaux de gras oméga-3 sont particulièrement élevés chez les Crétois. De nombreuses études confirment les bénéfices pour la santé des oméga-3, notamment par une diminution de la tendance du sang à former des caillots. Les sources alimentaires dont ils obtiennent ces bons gras sont notamment les poissons, le pourpier (une sorte de laitue grasse) et les escargots. En effet, il a été démontré que, si une personne qui ne mange pas de poisson en ajoute dans son alimentation à raison de deux repas par semaine, le risque de mourir d'un infarctus diminue de 30 %[6]. Par ailleurs, l'abondance d'huile d'olive dans le régime crétois confère un avantage supplémentaire, par sa richesse en gras monoinsaturés résistant fort bien à l'oxydation. On sait que les gras monoinsaturés de l'huile d'olive contribuent à l'élévation du taux sanguin de *bon cholestérol* (HDL-cholestérol) tout en réduisant le taux de *mauvais cholestérol* (LDL-cholestérol).

Dans l'*Étude de Lyon*, les oméga-3 provenaient plutôt d'une margarine d'huile de colza (canola). Cette huile, employée en concomitance avec l'huile d'olive, contient les justes proportions d'oméga-3 et de gras monoinsaturés permettant de se rapprocher des niveaux sanguins retrouvés chez les Crétois[7]. Comment introduire davantage de bons gras dans votre alimentation ? Tout simplement en optant principalement pour les huiles d'olive et de canola, en consommant régulièrement des noix et des graines (notamment les graines de lin, riches en oméga-3) en quantité modérée et en mangeant du poisson quelques fois par semaine.

Les antioxydants, amis de nos cellules

Il est intéressant de noter que, dans le modèle alimentaire crétois, on retrouve une abondance d'antioxydants provenant principalement des légumes et des fruits, des noix, des légumineuses, de l'huile d'olive et aussi du vin rouge. Les antioxydants protègent nos cellules du vieillissement prématuré causé par les radicaux libres. Ces derniers résultent du fonctionnement normal de notre organisme, mais peuvent aussi être produits par la pollution, la fumée de cigarette, le stress, la consommation de mauvais gras et par les rayons UV. Notre corps possède sa propre ligne de défense pour neutraliser les radicaux libres, mais a besoin d'un surplus provenant de l'alimentation. L'abondance des sources actuelles de radicaux libres due à notre mode de vie moderne fait en sorte que notre consommation alimentaire d'antioxydants doit nécessairement être augmentée. Voici quelques exemples de substances antioxydantes parmi les plus connues et leurs sources alimentaires :

- thymol : thym ;
- quercétine : petits fruits, pelure de pomme ;
- catéchine : thé, vin rouge, vin blanc ;
- cyanidine : raisin, fraise, framboise ;
- apigénine : céleri ;
- génistéine : cassis, fruit de la passion, prune, noisette, arachide ;

- proanthocyanidine : chocolat, vin rouge, canneberge, pomme, poire, cerise, thé noir, pépins de raisins, bleuets.

Il est intéressant de noter que les herbes tels le romarin, la sauge, l'origan et la menthe ont des pouvoirs antioxydants élevés. Parmi les épices, le curcuma est un des plus puissants antioxydants connus. Le poivre joue également ce rôle. L'ail, surtout efficace quand il est écrasé ou pressé, libère de nombreuses substances antioxydantes. Ainsi, ces condiments, en plus d'ajouter de la saveur aux plats, leur confèrent des propriétés bénéfiques !

Pour ce qui est de la consommation de vin rouge, si l'on se fie aux habitudes traditionnelles des Crétois, il a sa place en petite quantité et accompagne toujours les repas. On croit que le vin rouge serait à l'origine du *paradoxe français*. En effet, les Français mangent gras, fument beaucoup et ont pourtant très peu de maladies cardiaques. Ainsi, le vin rouge avec modération, soit environ un demi-verre à un verre chaque jour, ajoute de la vie aux années, et des années à la vie ! Et les autres boissons à base de raisin ? Certes, le vin blanc a un certain effet protecteur, mais il est moindre que celui du vin rouge. En voici la raison : lors de la fabrication du vin rouge, la macération prolongée du jus de raisin avec la peau et les pépins des raisins augmente la quantité de substances antioxydantes. Par ailleurs, le jus de raisin frais a certes certains effets bénéfiques, mais il lui manque l'effet combiné de l'alcool et des antioxydants des raisins pour pouvoir rivaliser avec le vin rouge.

Légumes et fruits : visez l'abondance

Les légumes et les fruits sont reconnus comme une des meilleures sources d'antioxydants. En outre, d'autres éléments protecteurs se retrouvent dans ce groupe d'aliments, comme les vitamines, les minéraux et les fibres. Ainsi, on associe une consommation élevée de légumes et de fruits à ce qui suit[8,9] :

- des risques moindres d'être victime d'une attaque cardiaque ;
- une pression sanguine réduite ;
- une baisse des risques de cancer ;
- une protection contre deux problèmes courants de l'œil : les cataractes et la dégénérescence maculaire ;
- une amélioration du transit intestinal, réduisant du même coup la douloureuse incidence de la constipation et des maladies diverticulaires ;
- une alimentation offrant du volume et un bon effet de satiété pour moins de calories, ce qui facilite l'atteinte et le maintien d'un poids santé.

Compte tenu des plus récentes recherches qui donnent aux légumes et aux fruits une place prépondérante, la consommation d'un minimum de cinq portions quotidiennes, habituellement préconisée, me semble à peine suffisante. C'est pourquoi je préfère recommander de sept à dix portions par jour. C'est cette quantité minimale de sept portions qui est indiquée dans *Le régime crétois adapté, une alimentation saine*, un guide d'alimentation que mes collègues Marie Béïque, Michel Lucas et moi-même avons élaboré[10]. Cette quantité permet d'obtenir par l'alimentation tous les avantages cités précédemment. Chaque journée devrait inclure au moins quatre portions de légumes, soit la taille de votre poing le midi et la même quantité le soir (ou le double s'il s'agit de salades), et trois fruits. Optez pour la simplicité dans la préparation. C'est la meilleure façon d'en manger davantage !

Des grains entiers non altérés

Parmi les principaux problèmes qui découlent de l'industrialisation alimentaire, le raffinage des aliments est sans doute un des plus sournois. En éliminant des céréales ce qui leur donnait saveur et valeur nutritive, soit le germe et le son, on a certes produit des aliments de texture légère, plus fins au goût et qui se conservent plus longtemps, mais on a aussi privé les gens d'un atout nutritionnel de taille. Même si une partie des vitamines et minéraux perdus a été remplacée par le biais de l'enrichissement, les aliments ainsi modifiés n'ont pas le même effet sur l'organisme. Il est important de réaliser que des aliments dits *riches en glucides complexes* sont digérés sensiblement à la même vitesse que des sucres plus rapides et ont un effet à peu près similaire sur le taux de sucre. Bref, manger un plat de pâtes blanches, du pain blanc ou du riz blanc revient presque au même que d'avaler une quantité équivalente de sucre. Notez que la farine de blé entier retrouvée dans plusieurs produits n'est autre chose qu'une farine blanche enrichie à laquelle on a remis du son. Ainsi, une **véritable** farine entière se lit ainsi sur les étiquettes de produits : *farine moulue sur meule de pierre* ou *moulue à la pierre* ou *intégrale* ou encore *farine biologique*. Il est donc de mise de revenir à des choix plus judicieux de grains complets ainsi que des produits qui en dérivent. Nous retrouverons les fibres, les gras essentiels et les vitamines et oligo-éléments qui faisaient défaut à leurs pâles imitations. Ainsi, ramenons sur nos tables le pain complet ou intégral, les pâtes de céréales entières, les farines moulues à la pierre, le riz brun, etc.

La variété authentique

Une des tendances apportées par l'industrialisation des aliments, c'est une diminution dans la variété de grains céréaliers utilisés. N'essayez pas de me convaincre que les flocons de son, le pain intégral, les pâtes enrichies, le couscous, les craquelins de blé entier et les muffins aux carottes que vous consommez quotidiennement représentent une variété de grains céréaliers. Dans la majorité des cas, je vous répondrai : FAUX. Car si on lit bien les étiquettes, on réalise que ces produits, bien que généralement nutritifs, sont du blé, encore du blé et toujours du blé. Même le fameux pain 12 céréales contient certes une variété de grains, mais l'ingrédient principal demeure le blé. Dites-moi plutôt que vous déjeunez avec du quinoa, que vous dînez avec du sarrasin, que vous prenez une collation avec du teff et que vous soupez avec du riz brun. Voilà le secret d'une alimentation variée : il est indispensable de connaître les aliments. En effet, plusieurs individus ne réalisent pas que les termes *farine* ou *farine de blé* qui figurent sur les listes d'ingrédients ne représentent rien d'autre que de la farine raffinée faite avec la partie blanche (endosperme) du grain de blé. Et que le couscous est en réalité du blé raffiné concassé, dont le son et le germe sont absents. C'est au nom de la variété et de la découverte que j'ai introduit dans ce livre des recettes incluant certaines céréales moins utilisées : teff, millet, sarrasin, quinoa, kamut, épeautre. Le tableau *Guide d'utilisation des céréales et des féculents* et le *lexique* vous donneront un complément d'information sur ces produits et bien d'autres.

Les légumineuses : savoureuses et polyvalentes

Parmi les meilleures sources de glucides lents, les légumineuses (haricots rouges ou blancs, pois chiches, lentilles, etc.) font très bonne figure. Très riches en fibres, sources de protéines, les légumineuses peuvent à la fois tenir lieu de féculents et remplacer la viande. De plus, elles contribuent à l'apport en fer, en calcium, en magnésium, en acide folique et en zinc de l'alimentation. En manger chaque jour, que ce soit en plat principal ou en accompagnement, peut faire le plus grand bien et aider à la régulation de l'appétit dans une optique de gestion du poids. Par ailleurs, les fibres que contiennent les légumineuses contribuent à normaliser le taux de cholestérol et à stabiliser le taux de sucre sanguin, en plus de favoriser une bonne élimination. Pour faciliter l'intégration des légumineuses au quotidien, la simplicité est de mise. Si vous désirez en manger souvent sans avoir à les faire tremper et cuire, les conserves représentent une bonne solution pour vous. Si au contraire, vous souhaitez préparer vousmême vos légumineuses, rien ne vous empêche d'en cuire en surplus pour les

faire congeler en portions. Pour ce faire, vous pouvez consulter le *Guide de cuisson des légumineuses* inclus dans ce livre.

Un petit détail toutefois freine plusieurs personnes à en manger davantage : les fameuses flatulences. La bonne nouvelle, c'est que ce problème affecte en général… justement ceux et celles qui n'en mangent pas souvent. En effet, la flore intestinale d'un individu s'adapte aux aliments qu'il consomme. Si on habitue l'intestin à une plus grande quantité de fibres quotidiennement, la fermentation s'estompe et les flatulences se font rares, voire inexistantes, chez la majorité des personnes. Le truc : débuter par de petites quantités, en manger un peu chaque jour pendant plusieurs jours consécutifs et… continuer d'en manger souvent !

Mais les protéines végétales ne se limitent pas aux légumineuses. Les noix revendiquent elles aussi leur place dans le menu de tous les jours. Loin d'être des aliments *camelote*, elles sont au contraire tout indiquées pour stopper une fringale tout en apportant une panoplie d'éléments nutritifs : fer, vitamine E, magnésium, sélénium, fibres, protéines et gras essentiels. De plus, lorsque consommées sur une base régulière, elles sont associées à une réduction de 30 à 50 % des risques de maladies cardiaques [11]. Chaque personne devrait inclure quotidiennement dans son alimentation une petite poignée de noix ou de graines.

Le tofu, face auquel plusieurs personnes entretiennent des préjugés persistants, se conjugue à plusieurs sauces. Pour l'apprécier, de bonnes recettes bien relevées sont essentielles. Le tofu bien apprêté permet d'ajouter des protéines et des substances bénéfiques pour la santé. En effet, le soya avec lequel on le fabrique renferme des isoflavones, réputées pour diminuer les symptômes de la ménopause, [12] et prévenir la formation de tumeurs cancéreuses [13]. Ces molécules favorisent également la formation de tissus osseux, ce qui est souhaitable pour les personnes atteintes d'ostéoporose ou qui sont à risque [14,15].

Des laitages maigres

Contrairement aux Nord-Américains, les peuples de la Méditerranée boivent peu de lait, mais consomment des produits laitiers sous forme de fromage et de yogourt. Les habitants de la Crète élèvent principalement des chèvres et des brebis, dont ils tirent le lait qu'ils transforment par la suite. Ce sont des produits habituellement faibles en gras et ils en consomment de petites quantités.

Puisque certaines personnes tolèrent plus ou moins bien le lait, soit à cause de la présence de lactose, soit parce qu'elles sont allergiques aux protéines laitières, j'ai proposé pour plusieurs recettes des substitutions. Les boissons enrichies de soya ou de riz peuvent s'utiliser en cuisine de la même façon que le lait, sans que cela n'altère le goût, ni ne modifie la valeur nutritive de façon importante.

Des sources de protéines

Les protéines alimentaires représentent un des aspects de l'alimentation à ne pas négliger. Nécessaires au renouvellement constant de nos tissus, à nos hormones et au système immunitaire, elles sont trop souvent mises de côté par les personnes qui surveillent leur ligne. Or, au contraire, en avoir suffisamment permet de prévenir le gain de poids, notamment par un effet de satiété accru. Idéalement, on devrait retrouver des protéines à chaque repas, en quantité équivalente à la paume de la main le midi et le soir et entre le quart ou la moitié de cette portion le matin.

Parmi les sources de protéines à privilégier, outre les protéines végétales citées précédemment, les poissons et fruits de mer remportent la palme. Ils renferment des protéines de très haute qualité et contiennent de bons gras de type oméga-3. C'est pour cette raison que l'on recommande les poissons gras. Le maquereau, le saumon, la truite, la sardine et le hareng sont parmi les plus gras, alors que le flétan, le turbot et le thon en contiennent des quantités modérées. On devrait retrouver les poissons et fruits de mer au menu au moins 3 à 4 fois par semaine. La volaille maigre (sans la peau) et les œufs peuvent aussi occuper une place de choix dans le menu, soit plusieurs fois par semaine. Les viandes (bœuf, porc, veau, agneau) se retrouvent au menu quelques fois par mois, ou plus souvent si elles sont très maigres.

L'équilibre sans compromis

Derrière ce qu'il est convenu de nommer l'alimentation saine, se trouve la question de l'**équilibre**. J'aimerais vous proposer une réflexion sur cette notion. Quand il est question d'équilibre alimentaire, bien des gens voient apparaître des images de restriction et d'ennui. Chassez ce réflexe ! L'équilibre débute au contraire par une ouverture à tous les aliments, qu'ils soient ou non des champions de la valeur nutritive. Finis les aliments défendus. Une fois qu'on admet que tous les produits sont bel et bien **permis**, on peut enfin mettre fin à toutes les obsessions et aux tourments déclenchés par les interdits. Vive le mangeur libre ! Et c'est sur cette base du libre choix que repose la recherche de l'alimentation qui sera la mieux adaptée pour **vous**, selon vos goûts et vos besoins !

Un autre aspect de l'équilibre repose sur la qualité des aliments consommés. Optez pour des aliments peu transformés, si possible biologiques, conservés et apprêtés de manière à préserver le plus possible leur valeur nutritive. Cela demande un peu d'effort, mais l'investissement en vaut la peine et vous serez largement récompensé par une vitalité plus grande !

L'épidémie d'obésité qui sévit présentement sur la planète nous oblige à repenser notre mode de vie et nos choix alimentaires. Pendant qu'un milliard d'humains sont sous-alimentés, un nombre équivalent est aux prises avec les maladies de civilisation liées à la trop grande abondance de nourriture et à la sédentarité. On sait en effet que l'obésité et l'embonpoint exposent à plus de risques de maladies cardiaques, de cancers, de diabète et de troubles musculaires ou osseux ; des fléaux qui font des ravages dans notre société et qui doivent impérativement être freinés.

Or, il est clair que les régimes amaigrissants classiques, où l'on s'astreint pendant une durée de temps limitée à se priver de nourriture, n'ont que peu de succès dans le maintien du poids à long terme. En effet, 95 % des gens qui perdent du poids avec ces méthodes reprennent le poids perdu. Parmi ce qui expliquerait l'insuccès des régimes amaigrissants, la trop grande rapidité recherchée par la majorité des gens qui s'efforcent de perdre du poids serait un des pièges. Plus on veut perdre du poids rapidement, plus le métabolisme de base risque d'être abaissé. Or, le métabolisme, c'est un peu la vitesse à laquelle tourne notre moteur. Le problème, c'est que plus le moteur tourne lentement, moins il brûle efficacement les calories. Donc, plus on risque de reprendre du poids dès qu'on revient à nos habitudes alimentaires régulières. Un autre piège associé aux régimes populaires, c'est la faim. Ne jamais atteindre la satiété risque de rendre difficile, voire impossible, le maintien des habitudes à long terme. Qui souhaiterait avoir faim pour le reste de ses jours ? Il est donc clair que pour durer, une démarche d'amaigrissement doit s'effectuer dans le respect des lois du corps humain.

EN ROUTE VERS UNE SOLUTION

D'ailleurs, tous les experts s'entendent sur un point : il est possible de maigrir et de maintenir son poids par des changements d'habitudes de vie. Mais certaines conditions doivent être respectées.

La première, c'est de renoncer aux solutions miracles et à la loi de la facilité. Aucune pilule, aucune machine ne peut vous faire perdre du poids durablement. Vous seul pouvez y arriver, mais vous devez vous en convaincre. Demeurez donc sceptique face à toute promesse de perte de poids rapide et durable. Retenez qu'il est physiologiquement impossible de perdre plus de 1,5 livre de gras par semaine. Tout le reste représente de la masse musculaire et de l'eau, qu'il n'est en aucun cas souhaitable de perdre.

La seconde étape vers la solution, c'est de penser à long terme. Vous voulez des résultats durables ? Il vous faut donc apprendre à gérer votre poids, et non rechercher une solution qui pourrait vous « guérir »… Il est également important de vous fixer des objectifs réalistes. Selon les experts, une perte de poids correspondant de 5 à 10 % de votre masse initiale est considérée comme réussie. Si toutefois vous avez davantage de poids à perdre, vous pouvez procéder par étapes et réévaluer vos objectifs une fois chacune de ces étapes atteinte.

La troisième étape, sans doute la plus incontournable, c'est d'accepter de revoir en profondeur vos habitudes de vie : alimentation, activités physiques, comportements et attitudes, gestion du stress et des émotions. Une démarche d'amaigrissement réussie passe par une approche globale, qui intervient sur plusieurs facteurs. Pour modifier durablement vos habitudes de vie, certains éléments jouent un certain rôle facilitant.

En voici quelques exemples :

1. Le plaisir

Le plaisir est l'un des plus puissants moteurs vous incitant à choisir tel type d'aliments plutôt que tel autre. L'alimentation crétoise est une véritable célébration du plaisir de manger. Saveurs, parfums et couleurs sont au rendez-vous. Si vous avez de l'agrément à manger sainement, il est clair que le maintien à long terme de vos habitudes en sera facilité !

2. La convivialité

Les gens qui vous entourent ont souvent une grande influence sur vos propres habitudes alimentaires. Pouvoir partager vos repas avec des proches est un élément essentiel d'une vie familiale et sociale riche. C'est pourquoi le type d'alimentation choisi doit s'adapter aux préférences de la majorité. Les recettes proposées dans ce volume ont été testées auprès de plusieurs familles et ont reçu un accueil fort enthousiaste, même chez des personnes soi-disant difficiles…

3. La simplicité

Le mode de vie actuel fait qu'il vous reste habituellement très peu de temps à consacrer à la préparation des repas. Tout doit donc se concocter en un rien de temps. Choisir des recettes et des menus simples a donc comme avantage de vous faire adhérer plus facilement à des principes alimentaires, notamment ceux proposés par l'alimentation crétoise.

4. L'intégration graduelle des changements

Vos habitudes de vie actuelles ne se sont pas construites en un jour. Voilà pourquoi il faut du temps et de la patience pour les orienter dans une nouvelle direction. Chaque habitude modifiée demande une prise de conscience, une présence, une attention particulière, du moins au début. Une fois la nouvelle habitude mise en place, il suffit de garder le cap et de passer à la suivante.

5. Le développement de l'autonomie

Pour mettre en place vos nouvelles habitudes de vie, il se peut que vous ayez besoin de l'aide de personnes expertes dans le domaine qui vous offriront une écoute attentive, du support et de judicieux conseils. Ces professionnels de la santé (nutritionnistes, kinésiologues, éducateurs physiques, psychologues) peuvent vous donner un sérieux coup de pouce, mais ne peuvent vous remplacer en tant que personne engagée dans une démarche. Bref, c'est en développant votre autonomie et vos connaissances que vous acquerrez la capacité de gérer au mieux votre poids corporel.

N'oubliez pas que votre engagement dans cette démarche est une condition essentielle de réussite. Bref, une perte de poids durable est à votre portée. Il n'en tient qu'à vous de prendre la responsabilité de changer votre mode de vie pour des habitudes plus propices à une perte de poids et favorisant la santé.

> C'est la vision préconisée par le *Programme EFFIscience*, une méthode interdisciplinaire et globale qui aide les participants à modifier durablement leurs habitudes de vie. L'alimentation, l'activité physique, la prise de conscience et la gestion du stress sont au cœur de cette approche progressive et ciblée. Pour en savoir davantage sur ce programme, composez le **1-418-650-5352.**

	Déjeuner	Am	Dîner	Pm	Souper
Lundi	Crème de riz au miel et aux dattes Fromage Salade de fruits	Amandes	Crème de brocoli Salade de légumineuses Muffin aux courgettes et à l'ananas Lait ou boisson enrichie de soya ou de riz	Pêche	Salade jardinière et vinaigrette à l'huile d'olive Filets de poisson à la créole et pommes de terre Poires à la ricotta
Mardi	Gruau de teff Noix de Grenoble Raisins	Yogourt	Courgette grillée Croquette de tournesol et de tofu sur pain kaiser Tapioca aux amandes et cantaloup	Carré croustillant aux dattes et aux abricots	Salade d'épinards et de fraises Omelette à la grecque Muffin de kamut aux raisins
Mercredi	Galettes de sarrasin Confitures sans sucre Lait ou boisson enrichie de soya ou de riz	Crudités	Craquelin complet et hummus Salade de saumon et de pommes de terre Salade de fruits	Pain aux bananes et aux figues	Soupe florentine Poulet sauté à la provençale et riz basmati brun Poivrons grillés Bleuets et yogourt
Jeudi	Céréales complètes Lait ou boisson enrichie de soya ou de riz Banane	Craquelins et végépâté	Potage de poires et de carottes Tourte méditerranéenne Biscuit au chocolat à la farine d'épeautre Tisane	Gelée de fruits	Salade verte, vinaigrette à l'huile d'olive Chili con carne sur riz brun Pomme avec lait ou boisson enrichie de soya ou de riz
Vendredi	Gruau de quinoa parfumé à la noix de coco Noix mélangées Ananas	Pomme et fromage	Soupe jardinière Salade froide de thon et pain intégral Mousse aux fruits	Crudités	Salade de carottes et de graines de tournesol Linguine au suprême de poulet Mangue et yogourt
Samedi	Crème Budwig « Effisicence » garnie de bleuets Thé vert	Graines de tournesol crues	Salade de pétoncles marinés aux deux melons Couscous aux légumes et aux pois chiches Figues fraîches	Fromage cottage et raisins frais	Soupe au tofu Crevettes à l'orientale Vermicelles de riz Galettes à la mélasse
Dimanche	Bagel de blé entier Œufs à la coque Salade de fruits	Crudités	Potage de haricots blancs Tofu mariné sur un nid de légumes Croustade aux pommes et au millet Lait ou boisson enrichie de soya ou de riz	Pouding à la vanille	Champignons farcis au saumon Roulé de veau aux asperges et pilaf de Jean-Christophe Salade chinoise Carré aux amandes et aux framboises

	Déjeuner	Am	Dîner	Pm	Souper
Lundi	Rôties de pain intégral / Beurre d'arachide naturel / Salade de fruits	Poire et fromage	Macédoine de légumes / Filets de poisson rapides (sole, turbot, etc.) «simplissimo» / Muffin de teff aux bananes	Yogourt	Antipasto / Tofu à l'arachide sur riz sauvage / Salade japonaise / Raisins frais
Mardi	Gruau de sarrasin / Pruneaux / Lait ou boisson enrichie de soya ou de riz	Noix d'acajou	Salade mesclun, vinaigrette à l'huile d'olive / Pain de lentilles, sauce tomates / Gelée aux fruits	Biscuits au chocolat à la farine d'épeautre	Soupe aux légumes / Quiche au poireau et au fromage sur croûte de riz / Pomme
Mercredi	Granola maison / Pamplemousse / Lait ou boisson enrichie de soya ou de riz	Crudités	Salade de fusilli à la dinde et au saumon fumé / Salade aux trois haricots / Mangue	Yogourt et melon d'eau	Salade chinoise / Poitrine de poulet au four, sauce aux champignons avec pommes de terre / Muffin à la farine de riz
Jeudi	Pain intégral avec végépâté / Pêche / Lait ou boisson enrichie de soya ou de riz	Galette de riz et hummus	Rouleaux de printemps, sauce à l'arachide / Soupe au bœuf et à la citronnelle / Mousse aux fruits	Orange	Salade César vinaigrette maison / Omelette aux épinards / Pouding au lait
Vendredi	Crêpes de teff / Confiture sans sucre / Ananas / Amandes	Yogourt	Salade jardinière / Poulet et légumes à la vietnamienne sur vermicelles de riz / Biscuits sablés / Litchis	Salade de fruits	Truite marinée à l'aneth / Pâté berger à l'agneau / Brownies au tofu / Lait ou boisson enrichie de soya ou de riz
Samedi	Flocons de grains entiers / Lait ou boisson enrichie de soya ou de riz / Fraises	Muffin aux dattes et à l'orange	Potage de chou-fleur au cari / Spaghetti sauce aux lentilles avec pâtes de sarrasin / Bleuets	Yogourt et pêches	Salade du chef / Velouté de fruits de mer sur riz basmati brun / Bouchée de caroube au miel
Dimanche	Œufs brouillés / Bagel multigrains avec compote de pomme / Lait ou boisson enrichie de soya ou de riz	Salade de fruits	Soupe de haricots rouges / Nouilles au thon / Brocoli / Banane	Jus de légumes	Salade de betteraves / Porc sauté à l'oignon et aux pommes, pomme de terre au four / Gâteau au fromage et à l'Amaretto, coulis de framboises

Antipasto

PRÉPARATION	CUISSON	RÉFRIGÉRATION	RENDEMENT
25 minutes	5 minutes	4 heures	6 portions

Ingrédients

250 ml	têtes de brocoli	1 tasse
250 ml	têtes de chou-fleur	1 tasse
250 ml	carottes en bâtonnets	1 tasse
325 ml	pois chiches cuits	1 1/2 tasse
125 ml	poivron rouge en lanières	1/2 tasse
250 ml	cœurs d'artichauts coupés en quartiers	1 tasse
	MARINADE	
60 ml	huile d'olive	1/4 tasse
80 ml	vinaigre de vin rouge	1/3 tasse
30 ml	jus de citron	2 c. à soupe
5 ml	miel	1 c. à thé
2 ou 3	gousses d'ail hachées	2 ou 3
5 ml	basilic séché	1 c. à thé
2 pincées	origan séché	2 pincées
1 pincée	poivre	1 pincée
5 ml	sel	1 c. à thé

Préparation

1. Faire cuire à la vapeur, à découvert, le brocoli, le chou-fleur et les carottes. Au bout de 5 minutes, plonger les légumes dans de l'eau glacée et laisser refroidir complètement.

2. Pendant ce temps, combiner les ingrédients de la marinade et y incorporer les légumes blanchis, ainsi que les pois chiches, le poivron et les cœurs d'artichauts.

3. Mettre au réfrigérateur pendant 4 heures avant de servir.

Valeur nutritive par portion					
Kilojoules	926	Glucides	29 g	Calcium	88 mg
Kilocalories	222	Lipides	10 g	Fer	2 mg
Protéines	7 g	Fibres	3 g	Sodium	653 mg

Groupes alimentaires et échanges				Légende
Féculents	1	Viandes et substituts	1	
Fruits	0	Matières grasses	2	Sans produits laitiers
Légumes	2	Aliments		Mets végétarien
Lait	0	avec sucre ajouté	0	

Champignons farcis
au saumon

PRÉPARATION	CUISSON	RENDEMENT
30 minutes	10 minutes	5 portions de 4 champignons

Ingrédients

20	champignons de Paris	20
90 ml	saumon cuit émietté	6 c. à soupe
90 ml	mie de pain intégral en petits dés	6 c. à soupe
90 ml	pieds de champignons hachés	6 c. à soupe
1	gousse d'ail hachée	1
1 pincée	estragon	1 pincée
15 ml	persil haché	1 c. à soupe
30 ml	huile d'olive	2 c. à soupe
au goût	sel et poivre	au goût

Préparation

1. Nettoyer les champignons et enlever les pieds.

2. Mélanger dans un bol tous les ingrédients de la farce. Remplir chaque champignon de cette farce.

3. Placer les champignons sur une plaque à biscuits et cuire au four à 220 °C (425 °F) environ 10 minutes.

Valeur nutritive par portion		
Kilojoules. 514	Glucides . . . . 8 g	Calcium . . . . 54 mg
Kilocalories 124	Lipides. . . . . 8 g	Fer . . . . 2 mg
Protéines . . . . 6 g	Fibres. . . . . 2 g	Sodium. . . . . 136 mg
Groupes alimentaires et échanges		**Légende**
Féculents 0	Viandes et substituts . . . . ½	
Fruits 0	Matières grasses 1	Sans produits laitiers
Légumes 1	Aliments	
Lait 0	avec sucre ajouté 0	

Pâté de foies
de volaille

PRÉPARATION	CUISSON	RENDEMENT
5 minutes	5 minutes	15 portions de 15 ml (1 c. à soupe)

Ingrédients

340 g	foies de volaille (7 à 8 foies)	3/4 livre
5 ml	beurre	1 c. à thé
2 ml	poudre d'oignon	1/2 c. à thé
5 ml	poudre d'ail	1 c. à thé
1 pincée	muscade	1 pincée
1 pincée	poivre	1 pincée
au goût	sel	au goût
30 ml	bouillon de poulet	2 c. à soupe

Préparation

1. Faire revenir les foies de volaille dans le beurre (utiliser de préférence un poêlon antiadhésif) avec les assaisonnements. Refroidir.

2. Mettre au mélangeur, ajouter le bouillon de poulet et réduire en fine purée.

Valeur nutritive par portion		
Kilojoules. 132	Glucides . . . . 1 g	Calcium . . . . 3 mg
Kilocalories 32	Lipides. . . . . 1 g	Fer . . . . 2 mg
Protéines. . . . . 4 g	Fibres. . . . . 0 g	Sodium. . . . . 96 mg
Groupes alimentaires et échanges		**Légende**
Féculents 0	Viandes et substituts 1/2	
Fruits 0	Matières grasses 0	
Légumes 0	Aliments	
Lait 0	avec sucre ajouté 0	

Rouleaux de printemps
sauce à l'arachide

PRÉPARATION	CUISSON	RENDEMENT
35 minutes	**5 minutes (sauce)**	**12 rouleaux**

Ingrédients

ROULEAUX

12	feuilles de riz* de 22 cm de diamètre (8 ¹/₂ pouce)	12
1	carotte râpée	1
250 ml	fèves germées	1 tasse
250 ml	chou chinois haché ou laitue verte	1 tasse
125 ml	champignons hachés	¹/₂ tasse
1	oignon vert haché	1
15 ml	gingembre frais râpé	1 c. à soupe
15 ml	coriandre ou menthe fraîche	1 c. à soupe

SAUCE

125 ml	eau chaude	¹/₂ tasse
80 ml	beurre d'arachide naturel	¹/₃ tasse
80 ml	lait de coco	¹/₃ tasse
15 ml	gingembre frais	1 c. à soupe
30 ml	sauce tamari ou sauce soya	2 c. à soupe
30 ml	mirin* (vin de riz doux) ou saké (facultatif)	2 c. à soupe
15 ml	sauce chili	1 c. à soupe
au goût	poivre	au goût
au goût	sauce Tabasco	au goût

* On trouve les feuilles de riz, appelées aussi galettes de riz, et le mirin dans les épiceries asiatiques ou internationales.

Préparation

1. Disposer les ingrédients des rouleaux dans des bols sur la surface de travail.

2. Faire chauffer de l'eau jusqu'au point d'ébullition dans une casserole peu profonde, mais de diamètre assez grand pour y insérer la feuille de riz.

3. Tremper une feuille de riz et la laisser jusqu'à ce qu'elle ramollisse quelque peu (environ 30 secondes). Sortir la feuille de riz au moyen d'une spatule ou d'une cuiller trouée. Étendre la feuille dans l'assiette.

4. Garnir avec les ingrédients en une forme rectangulaire. Repliez les bords arrondis de la feuille pour recouvrir les arêtes du rectangle formé par la garniture. Ensuite, rouler ce rectangle. Disposer les rouleaux dans un plat de service.

5. Pour la sauce, faire chauffer l'eau et ajouter le beurre d'arachide. Remuer avec un fouet, jusqu'à consistance lisse. Retirer du feu. Ajouter les autres ingrédients, brasser et verser dans un bol pour le service. Laisser refroidir.

Valeur nutritive par portion de 2 rouleaux		
Kilojoules. 637	Glucides . . . . 10 g	Calcium . . . . 38 mg
Kilocalories 153	Lipides. . . . . 10 g	Fer . . . . 1 mg
Protéines. . . . . 6 g	Fibres . . . . 1 g	Sodium . . . . 436 mg

Groupes alimentaires et échanges		Légende
Féculents . . . . ¹/₂	Viandes et substituts . . . . ¹/₂	
Fruits 0	Matières grasses 2	Sans produits laitiers
Légumes. . . . . ¹/₂	Aliments	Mets végétarien
Lait 0	avec sucre ajouté 0	

Salade de pétoncles
marinés aux deux melons

PRÉPARATION	CUISSON	RÉFRIGÉRATION	RENDEMENT
15 minutes	Aucune	1 heure	4 portions

Ingrédients

120 g	gros pétoncles	4 ¹/₂ onces
250 ml	boules de melon de miel	1 tasse
250 ml	boules de cantaloup	1 tasse
250 ml	petits champignons, coupés en deux	1 tasse
60 ml	persil frais, finement haché	¹/₄ tasse
30 ml	huile d'olive	2 c. à soupe
15 ml	huile de noix	1 c. à soupe
2 pincées	zeste de lime	2 pincées
	jus d'une lime	
10 ml	vinaigre de vin blanc	2 c. à thé
¹/₂	échalote émincée	¹/₂
5 ml	estragon séché	1 c. à thé
2 pincées	sel	2 pincées
1 pincée	poivre noir	1 pincée

Préparation

1. Trancher les pétoncles en fines lamelles.

2. Dans un grand bol, mettre les boules de melon de miel et de cantaloup, les champignons, les pétoncles et le persil.

3. Dans un petit bol, mélanger tous les autres ingrédients.

4. Verser la marinade dans le grand bol, bien mélanger. Couvrir et mettre au réfrigérateur. Laisser mariner 1 heure.

5. Consommer froid sur un nid de laitue bien verte.

Valeur nutritive par portion		
Kilojoules. 772	Glucides . . . . 16 g	Calcium . . . . 64 mg
Kilocalories 185	Lipides. . . . . 11 g	Fer . . . . 2 mg
Protéines. . . . . 8 g	Fibres. . . . . 1 g	Sodium. . . . . 69 mg
Groupes alimentaires et échanges		**Légende**
Féculents 0	Viandes et substituts. 1	
Fruits 1	Matières grasses. . . . . . 1 ¹/₂	Sans produits laitiers
Légumes 0	Aliments	
Lait 0	avec sucre ajouté 0	

Salade rapide
à la chair de crabe

PRÉPARATION	CUISSON	RENDEMENT
15 minutes	Aucune	4 portions d'environ 310 ml (1 ¼ tasse)

Ingrédients

250 g	chair de crabe	½ livre
250 ml	riz basmati (ou autre), cuit et froid	1 tasse
250 ml	céleri coupé en dés	1 tasse
1	oignon vert haché finement	1
250 ml	poivron vert coupé en dés	1 tasse
125 ml	courgette coupée en dés	½ tasse
30 ml	vinaigre de vin rouge	2 c. à soupe
45 ml	huile d'olive	3 c. à soupe
2 ml	origan	½ c. à thé
1 pincée	poudre d'ail	1 pincée
1 pincée	poivre noir	1 pincée
	feuilles de laitue romaine	
au goût	sel	au goût

Préparation

1. Mélanger les ingrédients (sauf la laitue) et réfrigérer.

2. Déposer la préparation de crabe sur quelques feuilles de laitue au moment de servir.

Valeur nutritive par portion		
Kilojoules. 235	Glucides . . . . 20 g	Calcium . . . . 113 mg
Kilocalories 981	Lipides. . . . . 11 g	Fer . . . . 2 mg
Protéines . . . . 14 g	Fibres. . . . . 1 g	Sodium. . . . . 241 mg

Groupes alimentaires et échanges		Légende
Féculents . . . . ½	Viandes et substituts. 2	
Fruits 0	Matières grasses. . . . . . 1 ½	Sans produits laitiers
Légumes 1	Aliments	
Lait 0	avec sucre ajouté 0	

Tartare de saumon

PRÉPARATION	CUISSON	RENDEMENT
20 minutes	Aucune	4 portions

Ingrédients

225 g	filets de saumon frais	½ livre
5 ml	jus de lime	1 c. à thé
2 ml	zeste de lime	½ c. à thé
15 ml	échalote hachée	1 c. à soupe
5 ml	moutarde de Dijon	1 c. à thé
15 ml	huile d'olive	1 c. à soupe
5 ml	coriandre fraîche hachée	1 c. à thé
5 ml	câpres hachés	1 c. à thé
2 ml	huile de sésame	½ c. à thé
au goût	sel et poivre	au goût

Préparation

1. Retirer la peau du saumon.
2. Hacher finement le saumon.
3. Ajouter les autres ingrédients, bien mélanger.
4. Servir immédiatement sur une feuille de laitue.

Valeur nutritive par portion		
Kilojoules. 139	Glucides . . . . 0 g	Calcium . . . . 9 mg
Kilocalories 579	Lipides. . . . . 10 g	Fer . . . . 1 mg
Protéines. . . . . 11 g	Fibres. . . . . 0 g	Sodium. . . . . 49 mg
Groupes alimentaires et échanges		**Légende**
Féculents 0	Viandes et substituts. 1	
Fruits 0	Matières grasses. . . . . . 1 ½	Sans produits laitiers
Légumes 0	Aliments	
Lait 0	avec sucre ajouté 0	

Tartinade au tofu

PRÉPARATION	CUISSON	RENDEMENT
10 minutes	**Aucune**	**4 portions de 125 ml (1/2 tasse)**

Ingrédients

225 g	tofu écrasé	1/2 livre
1 pincée	sel de céleri	1 pincée
1 pincée	paprika	1 pincée
5 ml	vinaigre de cidre ou de vin blanc	1 c. à thé
30 ml	persil haché	2 c. à soupe
15 ml	moutarde de Dijon	1 c. à soupe
15 ml	huile d'olive	1 c. à soupe
1	gousse d'ail émincée	1
1 pincée	poudre de cari	1 pincée
2 pincées	estragon	2 pincées
2 pincées	sel	2 pincées
au goût	poivre	au goût
30 ml	oignon vert haché	2 c. à soupe

Préparation

1. Mélanger le tout à la fourchette ou au robot.

2. Utiliser comme garniture à sandwich ou tartiner sur des biscottes.

Valeur nutritive par portion		
Kilojoules. 328	Glucides . . . . 2 g	Calcium . . . . . . 204 mg
Kilocalories 79	Lipides. . . . . 6 g	Fer . . . . 33 mg
Protéines. . . . . 5 g	Fibres. . . . . 1 g	Sodium. . . . . 55 mg

Groupes alimentaires et échanges		Légende
Féculents 0	Viandes et substituts 1/2	Sans produits laitiers
Fruits 0	Matières grasses 1/2	Mets végétarien
Légumes 0	Aliments	
Lait 0	avec sucre ajouté 0	

Truite marinée
à l'aneth

PRÉPARATION	CUISSON	RÉFRIGÉRATION	RENDEMENT
15 minutes	Aucune	4 heures	6 portions

Ingrédients

330 g	filets de truite	3/4 livre
15 ml	aneth frais haché	1 c. à soupe
30 ml	jus de citron	2 c. à soupe
30 ml	huile d'olive	2 c. à soupe
2 pincées	sel	2 pincées
2 pincées	poivre	2 pincées
5 ml	zeste de citron	1 c. à thé
5 ml	vinaigre balsamique	1 c. à thé
2 pincées	graines de céleri	2 pincées

Préparation

1. Mettre les filets au congélateur 30 minutes pour faciliter le découpage.

2. Faire des tranches minces avec chaque filet.

3. Mélanger les autres ingrédients.

4. Verser sur la truite. Laisser mariner au moins 4 heures.

5. Servir sur une feuille de laitue.

Valeur nutritive par portion		
Kilojoules. 375	Glucides . . . . 1 g	Calcium . . . . 15 mg
Kilocalories 90	Lipides. . . . . 7 g	Fer . . . . 1 mg
Protéines. . . . . 7 g	Fibres. . . . . 0 g	Sodium. . . . . 17 mg
Groupes alimentaires et échanges		**Légende**
Féculents 0	Viandes et substituts. 1	
Fruits 0	Matières grasses 1	Sans produits laitiers
Légumes 0	Aliments	
Lait 0	avec sucre ajouté 0	

Végépâté

PRÉPARATION	CUISSON	RENDEMENT
20 minutes	50 minutes	16 portions

Ingrédients

1	gros oignon haché finement	1
1	patate douce hachée finement	1
1	carotte râpée	1
125 ml	champignons émincés	½ tasse
125 ml	graines de sésame moulues	½ tasse
125 ml	graines de tournesol moulues	½ tasse
125 ml	farine de blé intégrale ou de riz brun	½ tasse
125 ml	levure alimentaire (torula, engevita ou red star)	½ tasse
30 ml	jus de citron	2 c. à soupe
80 ml	huile d'olive ou de canola	⅓ tasse
1	gousse d'ail pressée	1
250 ml	eau chaude (ou un peu moins)	1 tasse
5 ml	sauce soya ou tamari	1 c. à thé
5 ml	sel	1 c. à thé
5 ml	thym	1 c. à thé
5 ml	basilic	1 c. à thé
5 ml	sauge	1 c. à thé

Préparation

1. Dans un robot, hacher finement les légumes.

2. Ajouter les autres ingrédients. Bien mélanger.

3. Verser dans un moule carré de 23 x 23 cm (9 x 9 pouces.). Cuire à 180 °C (350 °F) pendant 50 minutes. Refroidir et démouler.

Valeur nutritive par portion					
Kilojoules	138	Glucides	13 g	Calcium	290 mg
Kilocalories	573	Lipides	10 g	Fer	2 mg
Protéines	3 g	Fibres	2 g	Sodium	200 mg

Groupes alimentaires et échanges				Légende
Féculents	½	Viandes et substituts	0	
Fruits	0	Matières grasses	2	Sans produits laitiers
Légumes	1	Aliments		Mets végétarien
Lait	0	avec sucre ajouté	0	

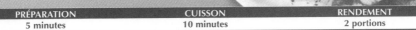

Courgette grillée

PRÉPARATION	CUISSON	RENDEMENT
5 minutes	10 minutes	2 portions

Ingrédients

1	courgette moyenne	1
5 ml	huile d'olive	1 c. à thé
1 pincée	thym	1 pincée
1 pincée	origan	1 pincée
1 pincée	basilic	1 pincée
au goût	sel et poivre	au goût

Préparation

1. Ouvrir la courgette sur le sens de la longueur.
2. Badigeonner chaque moitié d'huile d'olive.
3. Saupoudrer des assaisonnements.
4. Cuire au four 10 minutes à 180 °C (350 °F).

Valeur nutritive par portion		
Kilojoules. 133	Glucides . . . . 2 g	Calcium . . . . 11 mg
Kilocalories 32	Lipides. . . . . 3 g	Fer. . . . . 0,3 mg
Protéines. . . . . 1 g	Fibres. . . . . 1 g	Sodium. . . . . 2 mg

Groupes alimentaires et échanges		Légende
Féculents 0	Viandes et substituts. 0	
Fruits 0	Matières grasses . . . . ½	Sans produits laitiers
Légumes 1	Aliments	Mets végétarien
Lait 0	avec sucre ajouté 0	

Frites de patates douces
au four

PRÉPARATION	CUISSON	RENDEMENT
5 minutes	15 minutes	6 portions

Ingrédients

750 ml	patates douces pelées, coupées en bâtonnets	3 tasses
30 ml	huile d'olive	2 c. à soupe
au goût	sel et poivre	au goût
1 pincée	sarriette	1 pincée

Préparation

1. Mélanger les ingrédients dans un bol.

2. Étaler les patates douces sur une tôle à biscuits antiadhésive. Mettre au four à 240 °C (425 °F) pendant 10 minutes.

3. Sortir la tôle et retourner les patates douces. Remettre au four encore 5 minutes.

4. Servir.

Valeur nutritive par portion		
Kilojoules. 692	Glucides . . . . 29 g	Calcium . . . . 27 mg
Kilocalories 166	Lipides. . . . . 5 g	Fer . . . . .1 mg
Protéines. . . . . 2 g	Fibres. . . . . 5 g	Sodium. . . . . 16 mg

Groupes alimentaires et échanges		Légende
Féculents 2	Viandes et substituts. 0	
Fruits 0	Matières grasses 1	Sans produits laitiers
Légumes 0	Aliments	Mets végétarien
Lait 0	avec sucre ajouté 0	

Millet aux légumes

PRÉPARATION	CUISSON	RENDEMENT
10 minutes	35 minutes	6 portions de 180 ml (³/4 tasse)

Ingrédients

625 ml	eau	2 ¹/₂ tasses
250 ml	millet	1 tasse
45 ml	sauce soya ou tamari	3 c. à soupe
1	feuille de laurier	1
5 ml	thym	1 c. à thé
2 pincées	sauge	2 pincées
125 ml	carottes en dés	¹/₂ tasse
125 ml	céleri en dés	¹/₂ tasse
250 ml	poireau haché	1 tasse
125 ml	tomate en dés	¹/₂ tasse
au goût	sel et poivre	au goût

Préparation

1. Verser l'eau dans une casserole. Amener à ébullition.

2. Mettre le millet, la sauce soya ou tamari et les assaisonnements, baisser le feu et couvrir. Laisser mijoter 20 minutes.

3. Ajouter les légumes dans la casserole, sans brasser. Refermer le couvercle et laisser cuire encore 15 minutes.

4. Retirer du feu, mélanger les légumes avec le millet. Servir.

Valeur nutritive par portion		
Kilojoules. 727	Glucides . . . . 35 g	Calcium . . . . 43 mg
Kilocalories 174	Lipides. . . . . 2 g	Fer . . . . 3 mg
Protéines . . . . 6 g	Fibres. . . . . 1 g	Sodium. . . . . . . 559 mg
Groupes alimentaires et échanges		**Légende**
Féculents 2	Viandes et substituts. 0	
Fruits 0	Matières grasses. 0	Sans produits laitiers
Légumes 1	Aliments	Mets végétarien
Lait 0	avec sucre ajouté 0	

Pilaf
de Jean-Christophe

PRÉPARATION	CUISSON	RENDEMENT
5 minutes	15 à 20 minutes	4 portions de 125 ml (¹/₂ tasse)

Ingrédients

1	oignon	1
15 ml	huile de canola ou d'olive	1 c. à soupe
250 ml	riz basmati ou jasmin	1 tasse
300 ml	eau	1 ¹/₄ tasse
1	feuille de laurier	1
1 pincée	graines de cumin	1 pincée
10 ml	légumes déshydratés	2 c. à thé
au goût	sel et poivre	au goût

Préparation

1. Faire revenir l'oignon dans l'huile. Ajouter le riz et faire frire en remuant pendant environ 2 minutes.

2. Verser l'eau et les assaisonnements. Amener à ébullition, baisser le feu et laisser cuire environ 15 minutes.

Valeur nutritive par portion		
Kilojoules. 265	Glucides . . . . 14 g	Calcium . . . . 17 mg
Kilocalories 64	Lipides. . . . . 4 g	Fer . . . . 0 mg
Protéines. . . . . 2 g	Fibres. . . . . 1 g	Sodium. . . . . 3 mg

Groupes alimentaires et échanges		Légende
Féculents 1	Viandes et substituts. 0	
Fruits 0	Matières grasses 0	Sans produits laitiers
Légumes 0	Aliments	Mets végétarien
Lait 0	avec sucre ajouté 0	

Riz palao
à l'indienne

PRÉPARATION	CUISSON	RENDEMENT
5 minutes	40 minutes	8 portions

Ingrédients

30 ml	huile d'arachide ou de canola	2 c. à soupe
500 ml	riz brun, non cuit	2 tasses
5 ml	curcuma	1 c. à thé
2 pincées	grains de coriandre moulus	2 pincées
2	carottes moyennes hachées	2
5 ml	sel	1 c. à thé
750 ml	eau	3 tasses
1	bâton de cannelle	1
125 ml	raisins secs	½ tasse
250 ml	noix hachées ou pistaches	1 tasse

Préparation

1. Faire revenir le riz, les épices, les carottes et le sel dans l'huile. Cuire à feu moyen en brassant environ 5 minutes.

2. Ajouter l'eau et le bâton de cannelle. Remuer, recouvrir et laisser mijoter à feu doux environ 20 minutes.

3. Incorporer les raisins, recouvrir et laisser mijoter environ 20 minutes, jusqu'à ce que le riz soit tendre et l'eau complètement absorbée. Retirer le bâton de cannelle.

4. Garnir avec les noix ou les pistaches.

Valeur nutritive par portion		
Kilojoules 1444	Glucides . . . . 53 g	Calcium . . . . 42 mg
Kilocalories 346	Lipides . . . . 14 g	Fer . . . . 2 mg
Protéines . . . . 7 g	Fibres . . . . 2 g	Sodium . . . . 302 mg
Groupes alimentaires et échanges		**Légende**
Féculents 2	Viandes et substituts 0	Sans produits laitiers
Fruits 1	Matières grasses 3	Mets végétarien
Légumes 0	Aliments	
Lait 0	avec sucre ajouté 0	

Salade
aux trois haricots

PRÉPARATION	CUISSON	RENDEMENT
25 minutes	5 minutes	12 portions de 250 ml (1 tasse)

Ingrédients

250 g	haricots verts frais	½ livre
250 g	haricots jaunes frais	½ livre
500 ml	haricots noirs (ou rouges) cuits	2 tasses
2	tomates fraîches, coupées en cubes	2
125 ml	maïs en grains	½ tasse
	VINAIGRETTE	
30 ml	huile d'olive	2 c. à soupe
	zeste d'une lime	
	jus d'une lime	
60 ml	coriandre fraîche ou persil frais haché	¼ tasse
2 pincées	poudre d'ail	2 pincées
1 pincée	poivre de cayenne	1 pincée
1 pincée	poivre	1 pincée
au goût	sel	au goût

Préparation

1. Plonger les haricots verts et jaunes dans l'eau bouillante. Laisser bouillir pendant 5 minutes, retirer et mettre dans l'eau froide quelques minutes.

2. Dans un bol, mélanger les haricots verts et jaunes coupés en morceaux d'environ 2 cm (1 pouce), les haricots noirs, les tomates et le maïs.

3. Mélanger dans un autre bol les ingrédients de la vinaigrette et l'ajouter aux légumes. Remuer.

Valeur nutritive par portion		
Kilojoules. 606	Glucides . . . . 24 g	Fer . . . . 2 mg
Kilocalories 148	Lipides. . . . . 3 g	Calcium . . . . 48 mg
Protéines. . . . . 7 g	Fibres. . . . . 3 g	Sodium. . . . . 85 mg

Groupes alimentaires et échanges		Légende
Féculents . . . . ½	Viandes et substituts . . . . ½	
Fruits 0	Matières grasses . . . . ½	Sans produits laitiers
Légumes 2	Aliments	Mets végétarien
Lait 0	avec sucre ajouté 0	

Salade chinoise

PRÉPARATION	CUISSON	RÉFRIGÉRATION	RENDEMENT
10 minutes	Aucune	1 heure (facultatif)	2 portions

Ingrédients

125 ml	riz cuit	1/2 tasse
60 ml	germes de haricots mung (fèves germées) frais	1/4 tasse
375 ml	épinards frais pressés	1 1/2 tasse
1/2 branche	céleri haché	1/2 branche
30 ml	raisins secs	2 c. à soupe
15 ml	persil frais	1 c. à soupe
1	oignon vert émincé	1
60 ml	champignons frais émincés	1/4 tasse
8	noix d'acajou	8
	MARINADE	
15 ml	huile d'arachide	1 c. à soupe
15 ml	sauce soya ou tamari	1 c. à soupe

Préparation

1. Mélanger tous les ingrédients. Arroser de la marinade que vous aurez préalablement brassée.

2. Laisser mariner une heure au réfrigérateur avant de servir.

Valeur nutritive par portion				
Kilojoules 1352	Glucides . . . . 47 g	Calcium . . . . 90 mg
Kilocalories 325	Lipides . . . . 12 g	Fer . . . . 3 mg
Protéines . . . . 8 g	Fibres . . . . 2 g	Sodium . . . . 609 mg

Groupes alimentaires et échanges		Légende
Féculents 1/2	Viandes et substituts 1/2	
Fruits 1/2	Matières grasses 2	Sans produits laitiers
Légumes 3	Aliments	Mets végétarien
Lait 0	avec sucre ajouté 0	

Salade de betteraves

PRÉPARATION	CUISSON	RENDEMENT
5 minutes	Aucune	2 portions

Ingrédients

1 grosse	betterave cuite, taillée en petits cubes	1 grosse
10 ml	vinaigre de riz ou de cidre	2 c. à thé
1 pincée	sel	1 pincée
7 ml	basilic	1 ½ c. à thé

Préparation

1. Mélanger tous les ingrédients.   2. Servir immédiatement.

Valeur nutritive par portion		
Kilojoules. 92	Glucides . . . . 5 g	Calcium . . . . 38 mg
Kilocalories 22	Lipides. . . . . 0 g	Fer . . . . 1 mg
Protéines. . . . . 1 g	Fibres. . . . . 1 g	Sodium. . . . . 33 mg

Groupes alimentaires et échanges		Légende
Féculents 0	Viandes et substituts. 0	
Fruits 0	Matières grasses 0	Sans produits laitiers
Légumes 1	Aliments	Mets végétarien
Lait 0	avec sucre ajouté 0	

Salade de carottes
et de graines de tournesol

PRÉPARATION	CUISSON	RENDEMENT
10 minutes	Aucune	6 portions

Ingrédients

750 ml	carottes râpées	3 tasses
125 ml	graines de tournesol rôties	½ tasse
1	petit oignon haché	1
	VINAIGRETTE	
5 ml	moutarde de Dijon	1 c. à thé
60 ml	jus d'orange	¼ tasse
15 ml	vinaigre de cidre ou de vin blanc	1 c. à soupe
30 ml	huile d'olive	2 c. à soupe
1 pincée	poudre d'ail	1 pincée
1 pincée	thym	1 pincée
au goût	sel et poivre	au goût

Préparation

1. Mélanger les carottes, les graines de tournesol et l'oignon dans un bol.

2. Mélanger tous les ingrédients de la vinaigrette.

3. Verser sur la salade et bien mélanger

Valeur nutritive par portion					
Kilojoules	857	Glucides	12 g	Calcium	31 mg
Kilocalories	205	Lipides	6 g	Fer	1 mg
Protéines	3 g	Fibres	3 g	Sodium	28 mg

Groupes alimentaires et échanges				Légende	
Féculents	0	Viandes et substituts	0		
Fruits	0	Matières grasses	1	Sans produits laitiers	
Légumes	2	Aliments		Mets végétarien	
Lait	0	avec sucre ajouté	0		

Antipasto

Linguine
au suprême
de poulet

Gelée et mousse
aux fruits

Pâté de foies
de volaille

Salade de fusilli
à la dinde
et au saumon fumé

Gâteau au fromage
et à l'Amaretto

Salade de pétoncles
marinés aux deux melons

18

Saumon grillé
à l'orange

89

Carrés aux amandes
et aux framboises

113

Salade rapide à la chair de crabe

19

Tofu mariné
sur un nid de légumes

91

Croustade
aux pommes et au millet

116

Tartare de saumon

Quiche aux poireaux
et au fromage
sur une croûte de riz

Muffins
aux courgettes
et à l'ananas

Courgette grillée

*Salade
de légumineuses*

*Muffins
à la farine de riz*

Riz palao
à l'indienne

Tofu
à l'arachide

Crème aux œufs
parfumée à l'orange

Salade de riz et de lentilles

PRÉPARATION	CUISSON	RÉFRIGÉRATION	RENDEMENT
20 minutes	Aucune	1 heure (facultatif)	4 portions

Ingrédients

500 ml	riz cuit	2 tasses
375 ml	lentilles cuites, bien égouttées	1 ½ tasse
1	poivron vert haché	1
1	tomate coupée en dés	1
125 ml	carottes râpées	½ tasse
125 ml	concombre en dés	½ tasse
30 ml	ciboulette hachée	2 c. à soupe
30 ml	persil frais haché	2 c. à soupe
30 ml	jus de lime	2 c. à soupe
20 ml	vinaigre balsamique	4 c. à thé
45 ml	huile d'olive	3 c. à soupe
2 ml	origan séché	½ c. à thé
10 ml	poudre de cari	2 c. à thé
au goût	sel et poivre	au goût

Préparation

1. Bien mélanger tous les ingrédients.

2. Laisser reposer une heure au réfrigérateur et servir.

Valeur nutritive par portion		
Kilojoules 1128	Glucides . . . . 46 g	Fer . . . . 3 mg
Kilocalories 275	Lipides . . . . 14 g	Calcium . . . . 41 mg
Protéines . . . . 10 g	Fibres . . . . 3 g	Sodium. . . . . 21 mg
Groupes alimentaires et échanges		**Légende**
Féculents 2	Viandes et substituts. 1	
Fruits 0	Matières grasses 2	Sans produits laitiers
Légumes 1	Aliments	Mets végétarien
Lait 0	avec sucre ajouté 0	

Salade d'épinards
et de fraises

PRÉPARATION	CUISSON	RENDEMENT
20 minutes	Aucune	3 portions

Ingrédients

1 litre	épinards lavés, essorés, déchiquetés	4 tasses
250 ml	fraises coupées en moitiés	1 tasse
1 branche	céleri haché finement	1 branche
	VINAIGRETTE	
45 ml	yogourt nature	3 c. à soupe
15 ml	jus de citron	1 c. à soupe
15 ml	huile d'olive	1 c. à soupe
10 ml	vinaigre de vin blanc ou de cidre	2 c. à thé
5 ml	sirop d'érable	1 c. à thé
au goût	sel et poivre	au goût
1 ml	marjolaine	1/4 c. à thé
2 ml	persil haché	1/2 c. à thé
au goût	sel de céleri	au goût

Préparation

1. Mettre les épinards, les fraises et le céleri dans un grand bol.

2. Dans un bol plus petit, mélanger au fouet les ingrédients de la vinaigrette. Arroser la salade de cette vinaigrette, tourner et servir sans tarder.

Valeur nutritive par portion		
Kilojoules. 389	Glucides . . . . 10 g	Calcium . . . . 122 mg
Kilocalories 93	Lipides. . . . . 5 g	Fer . . . . 3 mg
Protéines. . . . . 4 g	Fibres. . . . . 3 g	Sodium. . . . . 87 mg

Groupes alimentaires et échanges		Légende
Féculents 0	Viandes et substituts. 0	
Fruits 0	Matières grasses 1	Mets végétarien
Légumes 1	Aliments	
Lait 0	avec sucre ajouté 0	

Salade marinée japonaise

PRÉPARATION	CUISSON	RÉFRIGÉRATION	RENDEMENT
5 minutes	Aucune	1 heure	4 portions

Ingrédients

500 ml	concombre anglais et/ou radis daïkon, tranché mince	2 tasses
30 ml	sauce soya ou tamari	2 c. à soupe
60 ml	eau	1/4 tasse
2 ml	gingembre mariné haché fin	1/2 c. à thé

Préparation

1. Déposer les tranches de légumes dans un récipient et arroser du mélange des autres ingrédients.

2. Couvrir d'une assiette et mettre un poids par-dessus, de façon à ce que les légumes soient submergés. Réfrigérer.

3. Servir après une heure environ. Se conserve au réfrigérateur environ une semaine.

Valeur nutritive par portion		
Kilojoules 82	Glucides . . . . 4 g	Calcium . . . . 18 mg
Kilocalories 20	Lipides. . . . . 0 g	Sodium. . . . . . . 413 mg
Protéines. . . . . 2 g	Fibres. . . . . 1 g	Fer . . . . 1 mg
Groupes alimentaires et échanges		**Légende**
Féculents 0	Viandes et substituts. 0	
Fruits 0	Matières grasses 0	Sans produits laitiers
Légumes 1	Aliments	Mets végétarien
Lait 0	avec sucre ajouté 0	

Salade taboulé
à l'amarante

PRÉPARATION	CUISSON	RENDEMENT
20 minutes	25 minutes	4 portions de 250 ml (1 tasse)

Ingrédients

125 ml	amarante entière	1/2 tasse
250 ml	eau salée	1 tasse
500 ml	persil frais haché	2 tasses
30 ml	jus de citron	2 c. à soupe
30 ml	huile d'olive	2 c. à soupe
250 ml	tomates épépinées en cubes	1 tasse
250 ml	pois chiches cuits, égouttés	1 tasse
180 ml	concombre pelé, coupé en cubes	3/4 tasse
30 ml	verdure d'oignon vert, hachée	2 c. à soupe
au goût	sel et poivre	au goût

Préparation

1. Rincer l'amarante. Mettre dans l'eau salée, amener à ébullition, couvrir et baisser le feu à moyen-doux.

2. Laisser cuire 25 minutes ou jusqu'à ce que l'eau soit complètement évaporée. Ne pas soulever le couvercle ou brasser l'amarante durant la cuisson.

3. Laisser refroidir. Dans un bol, combiner l'amarante cuite avec les autres ingrédients.

3. Laisser reposer une heure ou deux au réfrigérateur avant de servir.

N.B. On peut remplacer l'amarante par du blé bulghur, en le faisant cuire pendant 30 minutes.

Valeur nutritive par portion					
Kilojoules	1086	Glucides	37 g	Calcium	112 mg
Kilocalories	260	Lipides	9 g	Fer	5 mg
Protéines	9 g	Fibres	2 g	Sodium	200 mg

Groupes alimentaires et échanges				Légende	
Féculents	1 1/2	Viandes et substituts	1/2		
Fruits	0	Matières grasses	1 1/2	Sans produits laitiers	
Légumes	2	Aliments		Mets végétarien	
Lait	0	avec sucre ajouté	0		

Crème de brocoli

PRÉPARATION	CUISSON	RENDEMENT
15 minutes	20 minutes	6 portions

Ingrédients

500 ml	bouillon de légumes	2 tasses
1	pomme de terre moyenne en tranches	1
2	oignons émincés	2
1,375 litre	têtes de brocoli	5 ½ tasses
250 ml	lait ou boisson de soya enrichie	1 tasse
1 pincée	thym	1 pincée
au goût	sel et poivre	au goût
30 ml	persil frais haché	2 c. à soupe

Préparation

1. Dans une grande casserole, mettre le bouillon, la pomme de terre et l'oignon. Porter à ébullition puis baisser le feu.

2. Couvrir et laisser mijoter 15 minutes.

3. Ajouter le brocoli et continuer la cuisson jusqu'à ce que les légumes soient bien cuits (environ 5 minutes).

4. Réduire en purée au robot culinaire ou au mélanger. Ajouter le lait ou la boisson de soya, rectifier l'assaisonnement.

5. Réchauffer la crème de brocoli sans la faire bouillir. Garnir de bouquets de persil frais.

Valeur nutritive par portion		
Kilojoules. 492	Glucides . . . . 26 g	Calcium . . . . 140 mg
Kilocalories 118	Lipides. . . . . 2 g	Fer . . . . 3 mg
Protéines. . . . . 10 g	Fibres. . . . . 3 g	Sodium. . . . . 80 mg

Groupes alimentaires et échanges		Légende
Féculents 0	Viandes et substituts. 0	
Fruits 0	Matières grasses 0	Mets végétarien
Légumes 2	Aliments	
Lait 0	avec sucre ajouté 0	

Potage de chou-fleur
au cari

PRÉPARATION	CUISSON	RENDEMENT
10 minutes	20 minutes	4 portions de 1 ¹/₂ tasse

Ingrédients

1 litre	bouillon de poulet ou de légumes	4 tasses
2	pommes de terre moyennes, pelées	2
750 ml	chou-fleur	3 tasse
1	gros oignon haché	1
10 ml	poudre de cari	2 c. à thé
au goût	sel et poivre	au goût

Préparation

1. Mettre ensemble tous les ingrédients dans une casserole.

2. Amener à ébullition. Baisser à feu doux et laisser mijoter 20 minutes.

3. Retirer du feu. Passer au mélangeur.

Valeur nutritive par portion

Kilojoules. 272	Glucides . . . . .15 g	Calcium . . . . .20 mg
Kilocalories 65	Lipides. . . . . .0 g	Fer . . . . 1 mg
Protéines. . . . . .2 g	Fibres. . . . . .2 g	Sodium. . . . . . . .13 mg

Groupes alimentaires et échanges | Légende

Féculents . . . . ¹/₂	Viandes et substituts. 0	
Fruits 0	Matières grasses. 0	Sans produits laitiers
Légumes 2	Aliments	
Lait 0	avec sucre ajouté 0	

Potage de haricots blancs

PRÉPARATION	CUISSON	RENDEMENT
10 minutes	30 minutes	8 portions

Ingrédients

750 ml	haricots blancs cuits, égouttés	3 tasses
1,25 litre	bouillon ou eau de cuisson de légumes	5 tasses
1	oignon moyen haché	1
1 petite	carotte hachée	1 petite
1 branche	céleri haché	1 branche
1 petite	pomme de terre en cubes	1 petite
1	courgette en rondelles	1
30 ml	huile d'olive	2 c. à soupe
5 ml	origan en flocons	1 c. à thé
1	feuille de laurier	1
1 pincée	paprika	1 pincée
au goût	sel	au goût
un filet	jus de citron frais	un filet
au goût	olives noires tranchées (facultatif)	au goût

Préparation

1. Mélanger tous les ingrédients dans un chaudron, sauf le sel, le jus de citron et les olives.

2. Cuire environ 30 minutes.

3. Passer au mélangeur. Servir dans un bol et garnir avec les olives. Ajuster l'assaisonnement avec le sel et le jus de citron.

Valeur nutritive par portion					
Kilojoules	641	Glucides	23 g	Calcium	76 mg
Kilocalories	153	Lipides	4 g	Fer	3 mg
Protéines	8 g	Fibres	6 g	Sodium	14 mg
Groupes alimentaires et échanges				**Légende**	
Féculents	1	Viandes et substituts	1	Sans produits laitiers	
Fruits	0	Matières grasses	1	Mets végétarien	
Légumes	1	Aliments			
Lait	0	avec sucre ajouté	0		

Potage de poires et de carottes

PRÉPARATION	CUISSON	RENDEMENT
10 minutes	25 minutes	6 portions de 1 tasse

Ingrédients

750 ml	carottes	3 tasses
1 gros	oignon	1 gros
1 litre	bouillon de poulet ou de légumes	4 tasses
2 pincées	cardamome	2 pincées
2 pincées	gingembre en poudre	2 pincées
1 pincée	poudre d'ail	1 pincée
5 ml	thym	1 c. à thé
1 pincée	estragon	1 pincée
au goût	sel et poivre	au goût
2	feuilles de laurier	2
398 ml	poires en conserve égouttées	14 onces

Préparation

1. Mettre les carottes et l'oignon dans le bouillon, amener à ébullition, couvrir et baisser le feu. Laisser mijoter 10 minutes.

2. Ajouter les assaisonnements, laisser mijoter 10 minutes de plus.

3. Ajouter les poires, faire chauffer 5 minutes. Retirer du feu.

4. Passer au mélangeur.

Valeur nutritive par portion			
Kilojoules. 314	Glucides . . . . 18 g	Calcium . . . . 40 mg	
Kilocalories 75	Lipides. . . . . 0 g	Fer . . . . 1 mg	
Protéines. . . . . 2 g	Fibres. . . . . 3 g	Sodium. . . . . 40 mg	

Groupes alimentaires et échanges		Légende
Féculents 0	Viandes et substituts. 0	
Fruits . . . . ½	Matières grasses. 0	Sans produits laitiers
Légumes 1	Aliments	
Lait 0	avec sucre ajouté. 0	

Soupe au bœuf
et à la citronnelle

PRÉPARATION	CUISSON	RENDEMENT
15 minutes	15 minutes	4 portions

Ingrédients

1 litre	bouillon de bœuf	4 tasses
2 branches	citronnelle	2 branches
500 ml	brocoli	2 tasses
250 ml	champignons en fines lamelles	1 tasse
250 ml	bok choy haché	1 tasse
225 g	bœuf en fines tranches	½ livre
5 ml	gingembre frais râpé	1 c. thé
1 ml	moutarde en poudre	¼ c. thé
au goût	poivre	au goût
au goût	sel	au goût
15 ml	miso (pâte de soya) ou tamari	1 c. soupe

Préparation

1. Amener le bouillon à ébullition. Ajouter la citronnelle et laisser bouillir 5 minutes, puis retirer la citronnelle.

2. Ajouter les légumes et les assaisonnements, à l'exception du miso. Réduire à feu moyen-doux et laisser mijoter environ 10 minutes.

3. Ajouter les tranches de bœuf une à une. Brasser une minute. Retirer du feu et ajouter le miso ; remuer jusqu'à dissolution. Réchauffer sans faire bouillir.

Valeur nutritive par portion		
Kilojoules. 663	Glucides . . . . 9 g	Calcium . . . . 109 mg
Kilocalories 159	Lipides. . . . . 4 g	Fer . . . . 3 mg
Protéines. . . . . 22 g	Fibres. . . . . 2 g	Sodium. . . . . . . 1139 mg
Groupes alimentaires et échanges		Légende
Féculents 0	Viandes et substituts. 3	
Fruits 0	Matières grasses 0	Sans produits laitiers
Légumes 1	Aliments	
Lait 0	avec sucre ajouté 0	

Soupe aux haricots rouges

PRÉPARATION	CUISSON	RENDEMENT
25 minutes	20 minutes	8 portions

Ingrédients

1,5 litre	bouillon de légumes	6 tasses
500 ml	haricots verts frais, coupés	2 tasses
250 ml	carottes en rondelles	1 tasse
180 ml	feuilles de céleri hachées	3/4 tasse
2	oignons hachés	2
750 ml	courgettes non pelées	3 tasses
796 ml	tomates en dés	28 onces
540 ml	haricots rouges cuits, égouttés	19 onces
1 pincée	origan	1 pincée
4	petites gousses d'ail émincées	4
10 ml	basilic séché	2 c. à thé
156 ml	pâte de tomates en conserve	5 1/2 onces
2 pincées	sucre	2 pincées

Préparation

1. Porter le bouillon à ébullition. Ajouter les haricots verts et cuire 5 minutes. Ajouter les carottes, les feuilles de céleri et les oignons et poursuivre la cuisson pendant 5 autres minutes.

2. Entre-temps, trancher les courgettes en rondelles minces et ajouter à la soupe ainsi que les tomates, les haricots rouges et l'origan. Laisser mijoter 5 minutes pour que les légumes soient tendres sans être défaits.

3. Dans un bol, mélanger l'ail, le basilic, la pâte de tomates et le sucre. Réchauffer ce mélange avec du bouillon de la soupe. Ajouter à la soupe et réchauffer quelques minutes sans faire bouillir.

4. Servir.

Valeur nutritive par portion		
Kilojoules. 699	Glucides . . . . 34 g	Calcium . . . . 107 mg
Kilocalories 167	Lipides. . . . . 1 g	Fer . . . . 4 mg
Protéines. . . . . 9 g	Fibres. . . . . 9 g	Sodium. . . . . . . 1530 mg

Groupes alimentaires et échanges		Légende
Féculents 1	Viandes et substituts 1/2	
Fruits 0	Matières grasses 0	Sans produits laitiers
Légumes 2	Aliments	Mets végétarien
Lait 0	avec sucre ajouté 0	

Soupe de légumes
au tofu

PRÉPARATION	CUISSON	RENDEMENT
15 minutes	20 minutes	6 portions de 375 ml (1 ½ tasse)

Ingrédients

1,25 litre	eau	5 tasses
60 ml	sauce soya ou tamari	¼ tasse
1	pomme de terre moyenne en dés	1
½	carotte en rondelles	½
250 ml	chou vert haché	1 tasse
125 ml	pois mangetout taillés en biseau	½ tasse
250 ml	maïs en grains	1 tasse
10 ml	gingembre frais, haché	2 c. à thé
quelques gouttes	sauce Tabasco	quelques gouttes
349 g	tofu de style soyeux, extra-ferme	12 ½ onces
45 ml	fécule de tapioca ou de maïs	3 c. à soupe

Préparation

1. Mélanger l'eau et la sauce soya ou tamari dans une grande casserole.

2. Réserver 250 ml (1 tasse) de ce mélange.

3. Mettre dans la casserole tous les autres ingrédients, sauf le tofu et la fécule. Amener le mélange à ébullition, puis baisser à feu moyen et laisser mijoter 15 minutes.

4. Ajouter le tofu. Délayer la fécule dans le liquide réservé et verser dans la soupe en remuant très légèrement.

5. Laisser bouillir 5 minutes et servir.

Valeur nutritive par portion		
Kilojoules. 443	Glucides . . . . 21 g	Calcium . . . . 94 mg
Kilocalories 106	Lipides. . . . . 5 g	Fer . . . . 4 mg
Protéines. . . . . 8 g	Fibres. . . . . 3 g	Sodium . . . . 765 mg

Groupes alimentaires et échanges		Légende
Féculents . . . . ½	Viandes et substituts. 1	
Fruits 0	Matières grasses 0	Sans produits laitiers
Légumes 2	Aliments	Mets végétarien
Lait 0	avec sucre ajouté 0	

Soupe florentine

PRÉPARATION	CUISSON	RENDEMENT
30 minutes	45 minutes	8 portions

Ingrédients

15 ml	huile d'olive	1 c. à soupe
1	oignon moyen haché	1
1 branche	céleri haché	1 branche
2	gousses d'ail hachées	2
125 ml	riz brun non cuit	1/2 tasse
5 ml	basilic	1 c. à thé
5 ml	origan	1 c. à thé
1,5 litre	eau ou bouillon de légumes	6 tasses
540 ml	haricots de Lima bébé, cuits	19 onces
250 ml	tomates fraîches ou en conserve	1 tasse
125 ml	champignons	1/2 tasse
10 ml	sel	2 c. à thé
1 pincée	poivre	1 pincée
500 ml	épinards frais hachés	2 tasses

Préparation

1. Faire sauter dans l'huile d'olive l'oignon, le céleri et l'ail. Lorsque l'oignon est transparent, ajouter le riz, le basilic et l'origan ; laisser dorer un peu.

2. Ajouter l'eau, les haricots et les tomates et laisser mijoter environ 30 minutes.

3. Ajouter tous les autres ingrédients, sauf les épinards et laisser mijoter encore 15 minutes ou jusqu'à ce que tous les ingrédients soient cuits à point. Incorporer les épinards juste avant de servir.

Valeur nutritive par portion				
Kilojoules	579	Glucides 24 g	Calcium	46 mg
Kilocalories	139	Lipides 3 g	Fer	2 mg
Protéines	6 g	Fibres 4 g	Sodium	615 mg

Groupes alimentaires et échanges		Légende
Féculents 1	Viandes et substituts 1/2	Sans produits laitiers
Fruits 0	Matières grasses 0	Mets végétarien
Légumes 1	Aliments	
Lait 0	avec sucre ajouté 0	

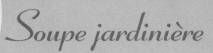

Soupe jardinière

PRÉPARATION	CUISSON	RENDEMENT
10 minutes	20 minutes	6 portions

Ingrédients

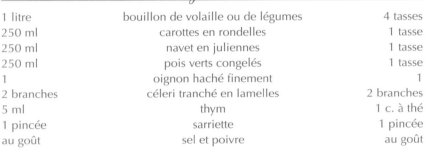

1 litre	bouillon de volaille ou de légumes	4 tasses
250 ml	carottes en rondelles	1 tasse
250 ml	navet en juliennes	1 tasse
250 ml	pois verts congelés	1 tasse
1	oignon haché finement	1
2 branches	céleri tranché en lamelles	2 branches
5 ml	thym	1 c. à thé
1 pincée	sarriette	1 pincée
au goût	sel et poivre	au goût

Préparation

1. Mettre le bouillon et les légumes dans une casserole. Couvrir.

2. Amener à ébullition. Baisser à feu moyen et laisser mijoter 15 minutes.

3. Assaisonner et laisser mijoter encore 5 minutes.

Valeur nutritive par portion		
Kilojoules. 439	Glucides . . . . 20 g	Calcium . . . . 73 mg
Kilocalories 105	Lipides. . . . . 2 g	Fer . . . . 1 mg
Protéines . . . . 4 g	Fibres. . . . . 3 g	Sodium. . . . . 842 mg

Groupes alimentaires et échanges		Légende
Féculents 0	Viandes et substituts. 0	
Fruits 0	Matières grasses 0	Sans produits laitiers
Légumes 2	Aliments	
Lait 0	avec sucre ajouté 0	

Brochettes de tofu
à l'ananas

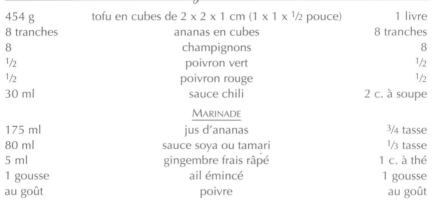

PRÉPARATION	TEMPS POUR MARINADE	CUISSON	RENDEMENT
20 minutes	8 heures	15 minutes	6 portions

Ingrédients

454 g	tofu en cubes de 2 x 2 x 1 cm (1 x 1 x ¹/₂ pouce)	1 livre
8 tranches	ananas en cubes	8 tranches
8	champignons	8
¹/₂	poivron vert	¹/₂
¹/₂	poivron rouge	¹/₂
30 ml	sauce chili	2 c. à soupe
	MARINADE	
175 ml	jus d'ananas	³/₄ tasse
80 ml	sauce soya ou tamari	¹/₃ tasse
5 ml	gingembre frais râpé	1 c. à thé
1 gousse	ail émincé	1 gousse
au goût	poivre	au goût

Préparation

1. Préparer la marinade. Dans un plat à fond large, mettre les cubes de tofu et verser la marinade. Réfrigérer pendant 8 heures.

2. Préparer les brochettes en alternant cubes de tofu, ananas et légumes. Réserver la marinade.

3. Faire griller les brochettes au four à 220 °C (425 °F) pendant 15 minutes.

4. Ajouter la sauce chili à la marinade. Faire chauffer dans une petite casserole. Verser sur les brochettes au moment de servir.

Valeur nutritive par portion					
Kilojoules	1641	Glucides	30 g	Calcium	278 mg
Kilocalories	394	Lipides	13 g	Fer	10 mg
Protéines	23 g	Fibres	2 g	Sodium	890 mg

Groupes alimentaires et échanges				Légende
Féculents	0	Viandes et substituts	3	
Fruits	1	Matières grasses	0	Sans produits laitiers
Légumes	1	Aliments		Mets végétarien
Lait	0	avec sucre ajouté	0	

Carrés aux œufs et au brocoli

PRÉPARATION	CUISSON	RENDEMENT
25 minutes	35 minutes	8 portions

Ingrédients

875 ml	têtes de brocoli frais	3 $^1/_2$ tasses
3	œufs légèrement battus	3
250 ml	lait ou boisson enrichie de soya ou de riz	1 tasse
180 ml	farine de blé intégrale	$^3/_4$ tasse
60 ml	son d'avoine	$^1/_4$ tasse
15 ml	poudre à pâte	1 c. à soupe
2 pincées	sel	2 pincées
2 pincées	muscade	2 pincées
2 pincées	origan	2 pincées
750 ml	cheddar partiellement écrémé, râpé	3 tasses
2	oignons verts hachés	2

Préparation

1. Faire cuire le brocoli 2 minutes à la vapeur. Mettre de côté.

2. Dans un grand bol, fouetter les œufs avec le lait. Mélanger la farine, le son d'avoine, la poudre à pâte, le sel, la muscade et l'origan. Incorporer délicatement le fromage, le brocoli et l'oignon vert.

3. Verser dans un moule en pyrex de 23 x 15 cm (9 x 6 po). Cuire au four à 180 °C (350 °F) pendant 35 minutes ou jusqu'à ce que le mélange soit ferme et doré.

4. Laisser reposer 5 minutes avant de tailler en carrés ou en pointes.

Valeur nutritive par portion					
Kilojoules	2098	Glucides	20 g	Calcium	799 mg
Kilocalories	503	Lipides	34 g	Fer	3 mg
Protéines	33 g	Fibres	4 g	Sodium	691 mg

Groupes alimentaires et échanges				Légende
Féculents	1	Viandes et substituts	4	
Fruits	0	Matières grasses	4	Mets végétarien
Légumes	1	Aliments		
Lait	0	avec sucre ajouté	0	

Chili con carne

PRÉPARATION	CUISSON	RENDEMENT
10 minutes	30 minutes	6 portions

Ingrédients

5 ml	huile d'olive ou de canola	1 c. à thé
1	gros oignon haché	1
1	gousse d'ail émincée	1
1	poivron vert haché	1
454 g	bœuf haché maigre ou extra-maigre	1 livre
30 ml	sauce chili	2 c. à soupe
750 ml	tomates en dés	3 tasses
500 ml	haricots rouges cuits	2 tasses
7 ml	poudre de chili	1 ½ c. à thé
au goût	sel	au goût
5 ml	sauce Worcestershire	1 c. à thé
5 ml	sucre	1 c. à thé
2	feuilles de laurier	2
1 pincée	origan	1 pincée

Préparation

1. Faire sauter l'oignon, l'ail et le poivron dans l'huile pendant 2 minutes.

2. Ajouter la viande et la faire dorer.

3. Ajouter la sauce chili et les tomates. Couvrir et laisser mijoter à feu doux pendant 15 minutes en remuant à l'occasion.

4. Ajouter les haricots rouges et les assaisonnements et laisser mijoter 10 minutes à découvert.

5. Servir avec du riz, des pommes de terre ou encore enroulé dans une tortilla.

Valeur nutritive par portion		
Kilojoules. 1333	Glucides . . . . 31 g	Calcium . . . . 76 mg
Kilocalories 319	Lipides. . . . . 13 g	Fer . . . . 5 mg
Protéines . . . . 22 g	Fibres. . . . . 1 g	Sodium . . . . 618 mg
Groupes alimentaires et échanges		**Légende**
Féculents 1	Viandes et substituts 3	
Fruits 0	Matières grasses 0	Sans produits laitiers
Légumes 2	Aliments	
Lait 0	avec sucre ajouté 0	

Couscous aux légumes
et aux pois chiches

PRÉPARATION	CUISSON	RENDEMENT
10 minutes	25 minutes	6 portions

Ingrédients

750 ml	légumes coupés en gros morceaux	3 tasses
	(carotte, céleri, navet, etc.)	
750 ml	bouillon de bœuf ou de légumes	3 tasses
1	gousse d'ail émincée	1
1	oignon haché grossièrement	1
½	poivron vert haché grossièrement	½
15 ml	huile d'olive	1 c. à soupe
30 ml	pâte de tomates	2 c. à soupe
2 pincées	basilic	2 pincées
2 pincées	origan	2 pincées
au goût	sauce Tabasco	au goût
au goût	sel et poivre	au goût
500 ml	pois chiches cuits	2 tasses
250 ml	couscous non cuit	1 tasse

Préparation

1. Cuire les légumes (sauf l'ail, l'oignon et le poivron) dans le bouillon de bœuf jusqu'à ce qu'ils soient tendres mais légèrement croquants.

2. Faire sauter l'ail, l'oignon et le poivron vert dans l'huile d'olive environ 5 minutes. Ajouter aux légumes cuits.

Ajouter la pâte de tomates, les assaisonnements et les pois chiches.

3. Cuire pour réchauffer de 2 à 3 minutes. Verser le couscous dans la préparation de légumes. Faire gonfler de 3 à 5 minutes. Servir.

Valeur nutritive par portion		
Kilojoules 1180	Glucides . . . . 56 g	Calcium . . . . 79 mg
Kilocalories 283	Lipides . . . . 3 g	Fer . . . . 3 mg
Protéines . . . . 10 g	Fibres . . . . 3 g	Sodium . . . . 351 mg

Groupes alimentaires et échanges		Légende
Féculents 3	Viandes et substituts 1	
Fruits 0	Matières grasses 0	Sans produits laitiers
Légumes 1	Aliments	
Lait 0	avec sucre ajouté 0	

Crevettes à l'orientale

PRÉPARATION	CUISSON	RENDEMENT
10 minutes	10 minutes	4 portions

Ingrédients

454 g	crevettes décortiquées, cuites	1 livre
15 ml	huile de canola ou d'arachide	1 c. à soupe
250 ml	poivrons rouges, en lanières	1 tasse
3	oignons verts hachés	3
15 ml	gingembre frais râpé	1 c. à soupe
60 ml	mirin* (ou vin blanc et 2 c. à thé de miel)	¼ tasse
quelques gouttes	huile de sésame	quelques gouttes
250 ml	jus des crevettes et/ou bouillon de poulet	1 tasse
30 ml	sauce soya ou tamari	2 c. à soupe
10 ml	fécule de tapioca ou de maïs	2 c. à thé
au goût	poivre	au goût
au goût	sauce Tabasco	au goût

* Mirin : vin de riz doux, disponible dans les épiceries asiatiques.

Préparation

1. Réserver et réfrigérer le liquide de cuisson (ou de décongélation) des crevettes.

2. Dans un wok, faire revenir dans l'huile les poivrons et l'oignon vert pendant 2 minutes.

3. Ajouter les crevettes, le gingembre, le mirin et l'huile de sésame.

4. Dans un bol, mettre le liquide de cuisson des crevettes bien froid et compléter à une tasse avec du bouillon de poulet.

5. Ajouter la sauce soya ou tamari et la fécule, bien brasser pour délayer la fécule.

6. Verser dans le wok. Saler et poivrer, ajouter la sauce Tabasco. Bien remuer.

7. Laisser mijoter quelques minutes et servir sur du riz ou des vermicelles.

Valeur nutritive par portion

Kilojoules	1427	Glucides	18 g	Calcium	164 mg
Kilocalories	342	Lipides	13 g	Fer	5 mg
Protéines	35 g	Fibres	1 g	Sodium	1584 mg

Groupes alimentaires et échanges

				Légende
Féculents	0	Viandes et substituts	4	
Fruits	0	Matières grasses	0	Sans produits laitiers
Légumes	1	Aliments		
Lait	0	avec sucre ajouté	0	

Croquettes de tofu
aux graines de tournesol

PRÉPARATION	CUISSON	RENDEMENT
20 minutes	6 minutes	6 portions

Ingrédients

250 ml	riz cuit	1 tasse
2	carottes finement râpées	2
250 ml	graines de tournesol broyées	1 tasse
250 g	tofu ferme écrasé	½ livre
1	gousse d'ail émincée	1
2	œufs	2
5 ml	basilic	1 c. à thé
45 ml	sauce soya ou tamari	3 c. à soupe
	farine de riz ou chapelure	
	huile d'olive ou de canola (facultatif)	

Préparation

1. Mélanger tous les ingrédients (sauf la farine ou la chapelure et l'huile) dans un bol.
2. Façonner les croquettes.
3. Les rouler dans la farine ou la chapelure.
4. Frire 3 minutes de chaque côté dans un poêlon avec 2 c. à soupe d'huile ou sans gras dans un poêlon anti-adhésif.
5. Servir les croquettes nappées d'une sauce tomate ou dans un pain à hamburger.

Valeur nutritive par portion					
Kilojoules	944	Glucides	16 g	Calcium	85 mg
Kilocalories	226	Lipides	15 g	Fer	4 mg
Protéines	12 g	Fibres	3 g	Sodium	44 mg

Groupes alimentaires et échanges				Légende
Féculents	1	Viandes et substituts	1	
Fruits	0	Matières grasses	2	Sans produits laitiers
Légumes	0	Aliments		Mets végétarien
Lait	0	avec sucre ajouté	0	

Filets de poisson rapides :
simplissimo / lime et coriandre

PRÉPARATION	CUISSON	RENDEMENT
5 minutes	Au four : 10 minutes	2 portions
	Au four à micro-ondes : 3 minutes	

Ingrédients

300 g	filets de poisson blanc (turbot , sole, morue, grenadier, etc.)	¾ livre

CONDIMENTS SIMPLISSIMO

5 ml	sauce soya ou tamari	1 c. à thé
5 ml	vinaigre balsamique	1 c. à thé
au goût	poivre moulu	au goût

CONDIMENTS LIME ET CORIANDRE

5 ml	zeste de lime	1 c. à thé
30 ml	jus de lime	2 c. à soupe
15 ml	coriandre fraîche hachée	1 c. à soupe
au goût	sel et poivre	au goût

Préparation

Au four

1. Placer les filets de poisson dans un plat allant au four.
2. Dans un petit bol, mélanger les condiments à l'exception du poivre. Étendre sur les filets de poisson. Poivrer.
3. Recouvrir le plat d'une feuille d'aluminium.
4. Cuire au four 10 minutes à 180 °C (350 °F).

Au four à micro-ondes

1. Placer les filets de poisson dans un plat ou une assiette allant au four à micro-ondes.
2. Dans un petit bol, mélanger les condiments à l'exception du poivre. Étendre sur les filets de poisson. Poivrer.
3. Recouvrir d'un dôme ou d'une pellicule plastique.
4. Cuire au four à micro-ondes à puissance élevée pendant 3 minutes.

Valeur nutritive par portion		
Kilojoules. 605	Glucides . . . . 0 g	Calcium . . . . 28 mg
Kilocalories 145	Lipides. . . . . 5 g	Fer . . . . 1 mg
Protéines . . . . 24 g	Fibres. . . . . 0 g	Sodium. . . . . . . 396 mg

Groupes alimentaires et échanges		Légende
Féculents 0	Viandes et substituts. 3	
Fruits 0	Matières grasses 0	Sans produits laitiers
Légumes 0	Aliments	
Lait 0	avec sucre ajouté 0	

Filets de sole amandine

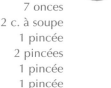

PRÉPARATION	CUISSON	RENDEMENT
8 minutes	20 minutes	2 portions

Ingrédients

200 g	filets de sole, frais ou surgelés	7 onces
30 ml	huile d'olive	2 c. à soupe
1 pincée	thym	1 pincée
2 pincées	marjolaine	2 pincées
1 pincée	paprika	1 pincée
1 pincée	sel de céleri	1 pincée
2 pincées	poivre	2 pincées
60 ml	poivron vert haché	¼ tasse
60 ml	poivron rouge haché	¼ tasse
250 ml	champignons tranchés	1 tasse
125 ml	oignon haché	½ tasse
60 ml	amandes effilées	¼ tasse

Préparation

1. Préchauffer le four à 190 °C (375 °F).
2. Mettre les filets de sole dans un plat allant au four.
3. Mélanger l'huile et les assaisonnements dans un bol. Réserver.
4. Ajouter les légumes autour des filets et verser le mélange d'huile et d'assaisonnements sur le tout. Parsemer les filets des amandes effilées.
5. Cuire au four pendant 20 minutes.

Valeur nutritive par portion					
Kilojoules	1270	Glucides	13 g	Calcium	57 mg
Kilocalories	305	Lipides	19 g	Fer	2 mg
Protéines	23 g	Fibres	3 g	Sodium	88 mg

Groupes alimentaires et échanges				Légende
Féculents	0	Viandes et substituts	3	
Fruits	0	Matières grasses	3	Sans produits laitiers
Légumes	2	Aliments avec sucre ajouté	0	
Lait	0			

Filets de poisson
à la créole

PRÉPARATION	CUISSON	RENDEMENT
15 minutes	20 minutes	3 portions

Ingrédients

300 g	filets de poisson blanc (sole, turbot, morue, etc.)	²/₃ livre
5 ml	huile d'olive	1 c. à thé
125 ml	oignons hachés	¹/₂ tasse
1	gousse d'ail	1
10 ml	fécule de maïs	2 c. à thé
540 ml	tomates en conserve en dés	19 onces
1 pincée	origan	1 pincée
au goût	sel et poivre	au goût
quelques gouttes	sauce Worcestershire	quelques gouttes
30 ml	poivrons verts hachés	2 c. à soupe

Préparation

1. Chauffer l'huile dans une grande casserole et faire revenir les oignons et l'ail jusqu'à ce qu'ils soient tendres.

2. Dissoudre la fécule de maïs dans 60 ml (¹/₄ tasse) de tomates. Bien mélanger. Ajouter aux oignons avec le reste des tomates, l'origan, le sel et le poivre. Porter à ébullition, puis réduire le feu.

3. Faire cuire 5 à 6 minutes en remuant constamment. Ajouter la sauce Worcestershire et les poivrons et faire mijoter 2 à 3 minutes.

4. Étendre les filets de poisson dans une casserole en pyrex de 23 x 23 cm (9 x 9 po). Verser la sauce aux tomates sur le poisson. Cuire au four à 180 °C (350 °F) pendant environ 20 minutes ou jusqu'à ce que la chair du poisson se détache facilement.

Valeur nutritive par portion					
Kilojoules	730	Glucides	19 g	Calcium	86 mg
Kilocalories	175	Lipides	3 g	Fer	2 mg
Protéines	20 g	Fibres	3 g	Sodium	566 mg

Groupes alimentaires et échanges				Légende	
Féculents	0	Viandes et substituts	3		
Fruits	0	Matières grasses	0	Sans produits laitiers	
Légumes	2	Aliments			
Lait	0	avec sucre ajouté	0		

Linguine au suprême de poulet

PRÉPARATION	CUISSON	RENDEMENT
10 minutes	**20 minutes**	**3 portions**

Ingrédients

250 g	poitrine de poulet désossée, sans peau, en cubes	1/2 livre
10 ml	huile d'olive végétale	2 c. à thé
1 pincée	paprika	1 pincée
1 pincée	basilic	1 pincée
au goût	poivre	au goût
1/2 branche	céleri coupé en cubes	1/2 branche
1/4	poivron vert coupé en cubes	1/4
1/4	poivron rouge coupé en cubes	1/4
125 ml	têtes de brocoli	1/2 tasse
284 ml	crème de champignons en conserve	10 onces
125 ml	lait	1/2 tasse
750 ml	*linguine* cuites	3 tasses

Préparation

1. Faire revenir le poulet dans l'huile de 4 à 5 minutes. Assaisonner avec le paprika, le basilic et le poivre.

2. Ajouter les légumes et faire cuire entre 3 et 4 minutes. Incorporer la crème de champignons et le lait, laisser mijoter à feu doux de 10 à 12 minutes.

3. Entre-temps, cuire les *linguine*. Ajouter la sauce au poulet sur les *linguine* cuites et bien mélanger.

Valeur nutritive par portion		
Kilojoules 1551	Glucides . . . . 55 g	Calcium . . . . 80 mg
Kilocalories 372	Lipides . . . . 12 g	Fer . . . . 4 mg
Protéines . . . . 12 g	Fibres . . . . 5 g	Sodium . . . . 810 mg

Groupes alimentaires et échanges		Légende
Féculents 3	Viandes et substituts 1	
Fruits 0	Matières grasses 1/2	
Légumes 1	Aliments	
Lait 0	avec sucre ajouté 0	

Nouilles au thon

PRÉPARATION	CUISSON	RENDEMENT
10 minutes	20 minutes	3 portions

Ingrédients

1 boîte de 284 ml	crème de champignons faible en gras	1 boîte de 10 onces
125 ml	eau	1/2 tasse
1	oignon moyen haché	1
1	poivron vert haché	1
1	poivron rouge haché	1
1 branche	céleri haché	1 branche
500 ml	nouilles cuites	2 tasses
	(*fettuccine, linguine, macaroni*)	
2 boîtes de 120 g	thon dans l'eau	2 boîtes de 4 1/4 onces
1 pincée	poivre	1 pincée
2 pincées	poudre d'ail	2 pincées
125 ml	fromage mozzarella partiellement écrémé, râpé	1/2 tasse

Préparation

1. Mélanger la crème de champignons et l'eau. Faire chauffer. Ajouter les autres ingrédients (sauf le fromage) et verser dans un plat allant au four.

2. Saupoudrer le fromage sur le dessus.

3. Mettre au four à 180 °C (350 °F) pendant environ 20 minutes.

Valeur nutritive par portion		
Kilojoules. 1569	Glucides . . . . 37 g	Calcium . . . . 251 mg
Kilocalories 376	Lipides. . . . . 8 g	Fer . . . . 4 mg
Protéines. . . . . 40 g	Fibres. . . . . 3 g	Sodium. . . . . 739 mg

Groupes alimentaires et échanges		Légende
Féculents 2	Viandes et substituts. 5	
Fruits 0	Matières grasses 0	
Légumes 2	Aliments	
Lait 0	avec sucre ajouté 0	

Omelette
à la grecque

PRÉPARATION	CUISSON	RENDEMENT
5 minutes	5 minutes	1 portion

Ingrédients

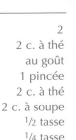

2	œufs	2
10 ml	eau	2 c. à thé
au goût	sel et poivre	au goût
1 pincée	basilic	1 pincée
10 ml	huile d'olive	2 c. à thé
30 ml	olives noires égouttées	2 c. à soupe
125 ml	fromage feta	1/2 tasse
60 ml	tomates en dés	1/4 tasse

Préparation

1. Battre les œufs et l'eau avec une fourchette.

2. Ajouter les assaisonnements.

3. Dans un poêlon antiadhésif, faire chauffer l'huile à feu moyen. Ajouter le mélange d'œufs. Sur une moitié de l'omelette, ajouter les olives, le fromage et les tomates, et rabattre l'autre moitié sur la première en demi-lune.

Valeur nutritive par portion		
Kilojoules. 1428	Glucides . . . . 6 g	Calcium . . . . 232 mg
Kilocalories 342	Lipides. . . . . 28 g	Fer . . . . 9 mg
Protéines. . . . . 17 g	Fibres. . . . . 1 g	Sodium. . . . . . . 723 mg

Groupes alimentaires et échanges		Légende
Féculents 0	Viandes et substituts . . . 2	
Fruits 0	Matières grasses. 4	Mets végétarien
Légumes 0	Aliments	
Lait 0	avec sucre ajouté. 0	

Omelette
aux épinards

PRÉPARATION	CUISSON	RENDEMENT
5 minutes	5 minutes	1 portion

Ingrédients

12	feuilles d'épinards	12
2	œufs	2
15 ml	eau	1 c. à soupe
au goût	sel et poivre	au goût
5 ml	huile d'olive	1 c. à thé
45 ml	poivron rouge haché	3 c. à soupe
1	oignon vert émincé	1
1 pincée	muscade	1 pincée
1 pincée	marjolaine	1 pincée

Préparation

1. Laver les épinards, les équeuter et sans les égoutter, les mettre dans un poêlon à fond antiadhésif. Couvrir et étuver à feu moyen 1 à 2 minutes, jusqu'à ce que les feuilles soient ramollies. Égoutter puis réserver.

2. Battre avec une fourchette les œufs et l'eau. Saler et poivrer.

3. Dans un poêlon antiadhésif, ajouter l'huile et chauffer à feu moyen. Ajouter le mélange d'œufs. Attendre 1 minute et ajouter le poivron rouge et l'oignon vert. Sur la moitié de l'omelette, incorporer les épinards et rabattre sur l'autre moitié en demi-lune.

Valeur nutritive par portion					
Kilojoules	993	Glucides	11 g	Calcium	91 mg
Kilocalories	238	Lipides	15 g	Fer	2 mg
Protéines	14 g	Fibres	4 g	Sodium	147 mg

Groupes alimentaires et échanges				Légende	
Féculents	0	Viandes et substituts	2		
Fruits	0	Matières grasses	1	Sans produits laitiers	
Légumes	1	Aliments		Mets végétarien	
Lait	0	avec sucre ajouté	0		

Pain de lentilles
et sauce tomate

PRÉPARATION	CUISSON	RENDEMENT
20 minutes	45 minutes	6 portions

Ingrédients

PAIN

750 ml	lentilles vertes cuites	3 tasses
1	oignon moyen émincé	1
	n intégral coupée en cubes	1
	œuf	1
	huile d'olive	1 c. à soupe
	nozzarella allégé râpé	1 ½ tasse
	sel	1 pincée
	poivre	1 pincée
	céleri émincé	1 branche
	sel de céleri	au goût

SAUCE

	sauce tomate	1 tasse
	eau froide	¼ tasse
	sucre	1 pincée
	e Worcestershire	quelques gouttes
	poivre	1 pincée
	oudre d'oignon	1 pincée
	origan	au goût
	basilic	au goût

Errata

p. 92 : farine de blé intégrale ou de kamut : <u>500 ml</u> au lieu de 250 ml

p. 144 : Mesures de volume : 60 ml = <u>4 c. à soupe</u> ou ¼ tasse

Préparation

pain.
pain

2. Cuire au four à 180 °C (350 °F) pendant 45 minutes.

3. Mélanger les ingrédients de la sauce et verser sur les portions de pain de lentilles.

Valeur nutritive par portion		
Kilojoules. 1583	Glucides . . . . 29 g	Calcium . . . . 399 mg
Kilocalories 380	Lipides. . . . . 19 g	Fer . . . . 4 mg
Protéines. . . . . 25 g	Fibres. . . . . 6 g	Sodium. . . . . 584 mg
Groupes alimentaires et échanges		**Légende**
Féculents 2	Viandes et substituts. 3	
Fruits 0	Matières grasses 2	Mets végétarien
Légumes 0	Aliments	
Lait 0	avec sucre ajouté 0	

Pâté au saumon
sans croûte

PRÉPARATION	CUISSON	RENDEMENT
15 minutes	20 minutes	6 portions

Ingrédients

500 ml	pommes de terre cuites, grossièrement coupées	2 tasses
1	œuf battu	1
500 ml	saumon cuit ou en conserve	2 tasses
30 ml	ketchup aux tomates	2 c. à soupe
2	oignons verts hachés	2
1 pincée	muscade	1 pincée
30 ml	persil frais haché	2 c. à soupe
1 pincée	ciboulette séchée	1 pincée
2 pincées	sel de céleri	2 pincées
au goût	sel et poivre	au goût
quelques gouttes	huile d'olive	quelques gouttes
1 pincée	paprika	1 pincée

Préparation

1. Préchauffer le four à 175 °C (350 °F). Au robot culinaire ou avec un batteur à main, réduire en purée tous les ingrédients, sauf l'huile et le paprika, en prenant garde de ne pas trop mélanger pour que la purée reste consistante.

2. Badigeonner d'huile une assiette à tarte ; remplir du mélange de pommes de terre et de saumon. À l'aide d'une fourchette, dessiner de petits sillons sur le dessus de la purée. Saupoudrer de paprika.

3. Cuire au four 20 minutes ; à mi-cuisson, couvrir de papier d'aluminium. Retirer du four. Laisser reposer 5 minutes et servir.

N.B. Pour augmenter la teneur en calcium de la recette, écraser à la fourchette les os du saumon en boîte et les ajouter aux pommes de terre pour faire la purée.

Valeur nutritive par portion					
Kilojoules	202	Glucides	17 g	Calcium	28 mg
Kilocalories	847	Lipides	5 g	Fer	1 mg
Protéines	23 g	Fibres	0 g	Sodium	83 mg
Groupes alimentaires et échanges				**Légende**	
Féculents	1	Viandes et substituts	3		
Fruits	0	Matières grasses	0	Sans produits laitiers	
Légumes	0	Aliments			
Lait	0	avec sucre ajouté	0		

Pâté berger
à l'agneau

PRÉPARATION	CUISSON	RENDEMENT
30 minutes	15 minutes	8 portions

Ingrédients

8	pommes de terre moyennes, pelées	8
500 ml	carottes en rondelles	2 tasses
500 ml	panais en rondelles	2 tasses
500 ml	rutabaga en tranches	2 tasses
15 ml	huile d'olive	1 c. à soupe
1	gros oignon	1
1 kg	agneau haché	2 livres
750 ml	tomates en dés	3 tasses
45 ml	pâte de tomates	3 c. à soupe
2 pincées	clou de girofle moulu	2 pincées
2 pincées	cannelle moulue	2 pincées
2 pincées	muscade	2 pincées
7 ml	poudre de cari	1 1/2 c. à thé
60 ml	lait ou boisson enrichie de soya ou de riz	1/4 tasse
au goût	sel de céleri	au goût
1 pincée	thym	1 pincée
au goût	sel et poivre	au goût

Préparation

1. Faire bouillir les pommes de terre pendant 20 minutes. Réserver.

2. Faire cuire à la vapeur pendant 7 minutes les carottes, les panais et le rutabaga. Réserver.

3. Faire revenir dans l'huile l'oignon jusqu'à transparence. Ajouter l'agneau et cuire jusqu'à brunissement.

4. Ajouter à la viande les tomates, la pâte de tomates, le clou de girofle, la cannelle et la muscade. Saler et poivrer. Laisser mijoter quelques minutes.

5. Mettre les pommes de terre en purée et ajouter le cari, le lait ou la boisson végétale, le sel de céleri et le thym. Saler et poivrer.

6. Disposer par étages dans un plat allant au four la viande, puis les légumes et finalement les pommes de terre. Cuire au four à 180 °C (350 °F) pendant 15 minutes.

Valeur nutritive par portion		
Kilojoules. 1793	Glucides . . . . 42 g	Calcium . . . . 105 mg
Kilocalories 430	Lipides. . . . . 13 g	Fer . . . . 4 mg
Protéines. . . . . 37 g	Fibres. . . . . 8 g	Sodium. . . . . . . 466 mg

Groupes alimentaires et échanges		Légende
Féculents 2	Viandes et substituts . . 4 1/2	
Fruits 0	Matières grasses 0	
Légumes 2 1/2	Aliments	
Lait 0	avec sucre ajouté 0	

Pizza pita
au saumon fumé

PRÉPARATION	CUISSON	RENDEMENT
20 minutes	8 à 10 minutes	2 portions

Ingrédients

180 ml	fromage cottage	3/4 tasse
80 ml	fromage mozzarella partiellement écrémé, râpé	1/3 tasse
2 pincées	thym	2 pincées
2 pincées	origan séché	2 pincées
37 ml	pâte de tomates	2 1/2 c. à soupe
80 ml	eau	1/3 tasse
2 pincées	sucre granulé	2 pincées
2	pains pita de blé entier de 30 cm (12 pouces)	2
500 ml	champignons frais en tranches	2 tasses
60 ml	oignons en rondelles	1/4 tasse
60 ml	poivron vert en lanières	1/4 tasse
100 g	saumon fumé	1/4 livre
60 ml	ciboulette ou persil frais haché	1/4 tasse

Préparation

1. Dans un bol ou au robot culinaire, mélanger le fromage cottage, la mozzarella, le thym et l'origan; réserver. Bien mélanger la pâte de tomates, l'eau et le sucre.

2. Étendre la sauce tomate sur les pains; recouvrir du mélange au fromage et des légumes. Ajouter le saumon fumé en fines tranches.

3. Saupoudrer de ciboulette ou de persil. Cuire au four à 200 °C (400 °F) de 8 à 10 minutes.

Valeur nutritive par portion					
Kilojoules	1599	Glucides	34 g	Calcium	326 mg
Kilocalories	384	Lipides	15 g	Fer	5 mg
Protéines	32 g	Fibres	5 g	Sodium	924 mg

Groupes alimentaires et échanges				Légende
Féculents	2	Viandes et substituts	4	
Fruits	0	Matières grasses	0	
Légumes	1	Aliments		
Lait	0	avec sucre ajouté	0	

Porc sauté
à l'oignon et aux pommes

PRÉPARATION	CUISSON	RENDEMENT
10 minutes	10 minutes	2 portions

Ingrédients

2 x 130 g	côtelettes de porc parées	2 x 4 ¹/₂ onces
15 ml	huile d'olive	1 c. à soupe
1	oignon en demi-rondelles	1
250 ml	pommes en petites tranches	1 tasse
250 ml	champignons coupés en 4	1 tasse
15 ml	vinaigre balsamique	1 c. à soupe
30 ml	sauce soya ou tamari	2 c. à soupe
5 ml	miel	1 c. à thé
10 ml	fécule de maïs ou de tapioca	2 c. à thé
125 ml	eau	¹/₂ tasse

Préparation

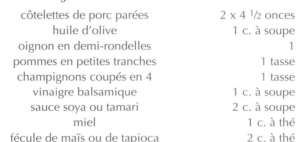

1. Dans un grand poêlon, griller les côtelettes à feu vif pour les saisir, de chaque côté. Mettre dans un plat allant au four, couvrir et garder au chaud à basse température.

2. Dans le même poêlon, faire revenir dans l'huile d'olive l'oignon et les pommes.

3. Ajouter les champignons. Faire cuire environ 3 minutes.

4. Ajouter le vinaigre balsamique, la sauce soya ou tamari et le miel.

5. Délayer la fécule dans l'eau, verser dans le mélange. Laisser cuire jusqu'à épaississement.

6. Servir cette sauce sur les côtelettes chaudes.

Valeur nutritive par portion		
Kilojoules 1895	Glucides . . . . 35 g	Calcium . . . . 55 mg
Kilocalories 455	Lipides . . . . 18 g	Fer . . . . 3 mg
Protéines . . . . 40 g	Fibres . . . . 3 g	Sodium . . . . . . 1143 mg

Groupes alimentaires et échanges		Légende
Féculents 0	Viandes et substituts 5	
Fruits 1	Matières grasses 1	Sans produits laitiers
Légumes 2	Aliments	
Lait 0	avec sucre ajouté 0	

Poulet et légumes
sautés à la vietnamienne

PRÉPARATION	CUISSON	RENDEMENT
20 minutes	12 minutes	4 portions

Ingrédients

454 g	poitrines de poulet désossées, sans peau, coupées en lanières	1 livre
10 ml	huile de canola ou d'arachide	2 c. à thé
250 ml	carottes en rondelles émincées	1 tasse
180 ml	têtes de chou-fleur	3/4 tasse
180 ml	têtes de brocoli	3/4 tasse
250 ml	céleri coupé en biseau	1 tasse
1	poivron rouge en lanières	1

Sauce

15 ml	fécule de maïs	1 c. à soupe
160 ml	bouillon de poulet	2/3 tasse
45 ml	sauce soya ou tamari	3 c. à soupe
2 ml	miel	1/2 c. à thé
10 ml	gingembre frais râpé	2 c. à thé
1 pincée	poivre de cayenne	1 pincée

Préparation

1. Dans une casserole antiadhésive, faire sauter le poulet dans l'huile.

2. Ajouter d'abord les carottes et le chou-fleur, cuire une minute; ensuite, ajouter le brocoli et le céleri et poursuivre la cuisson pendant une minute. Ajouter finalement le poivron rouge et cuire une minute.

3. Couvrir et laisser mijoter deux minutes. Remuer à l'occasion.

4. Préparer la sauce d'accompagnement : délayer la fécule de maïs dans le bouillon de poulet froid, verser dans le mélange. Ajouter la sauce soya ou tamari, le miel et les assaisonnements. Cuire à feu doux en remuant, jusqu'à épaississement.

Suggestion : Le poulet peut être remplacé par une même quantité de crevettes ou par un mélange des deux.

Valeur nutritive par portion		
Kilojoules. 958	Glucides . . . . 18 g	Calcium . . . . 93 mg
Kilocalories 228	Lipides. . . . . 4 g	Fer . . . . 2 mg
Protéines. . . . . 31 g	Fibres. . . . . 4 g	Sodium. . . . . . . 702 mg

Groupes alimentaires et échanges		Légende
Féculents 0	Viandes et substituts. 4	
Fruits 0	Matières grasses 1/2	Sans produits laitiers.
Légumes 2 1/2	Aliments	
Lait 0	avec sucre ajouté 0	

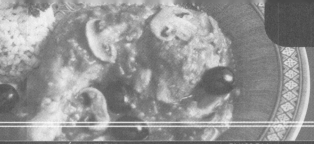

Poulet sauté
à la provençale

PRÉPARATION	CUISSON	RENDEMENT
15 minutes	45 minutes	4 portions

Ingrédients

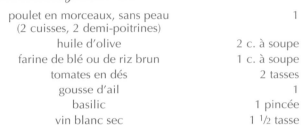

1	poulet en morceaux, sans peau (2 cuisses, 2 demi-poitrines)	1
30 ml	huile d'olive	2 c. à soupe
15 ml	farine de blé ou de riz brun	1 c. à soupe
500 ml	tomates en dés	2 tasses
1	gousse d'ail	1
1 pincée	basilic	1 pincée
375 ml	vin blanc sec	1 ½ tasse
250 ml	eau	1 tasse
1	bouquet garni (thym, persil, feuilles de laurier)	1
1 pincée	sel, poivre	1 pincée
375 ml	champignons en lamelles	1 ½ tasse
20	olives noires	20

Préparation

1. Faire dorer les morceaux de poulet de toutes parts avec l'huile d'olive.

2. Saupoudrer de farine. Remuer.

3. Ajouter les tomates, l'ail, le basilic, le vin, l'eau, le bouquet garni, le sel et le poivre. Couvrir à demi. Laisser mijoter 30 minutes.

4. Ajouter les champignons et les olives. Cuire 15 minutes. Retirer le bouquet garni.

Valeur nutritive par portion		
Kilojoules. 1292	Glucides . . . . 16 g	Calcium . . . . 81 mg
Kilocalories 300	Lipides. . . . . 12 g	Fer . . . . 3 mg
Protéines. . . . . 22 g	Fibres. . . . . 4 g	Sodium. . . . . 518 mg

Groupes alimentaires et échanges		Légende
Féculents 0	Viandes et substituts. 3	
Fruits 0	Matières grasses . . . . . 1 ½	Sans produits laitiers
Légumes 2	Aliments	
Lait 0	avec sucre ajouté 0	

Quiche aux poireaux et
au fromage sur une croûte de riz

PRÉPARATION	CUISSON	RENDEMENT
30 minutes	45 minutes	6 portions

Ingrédients

CROÛTE

5 ml	huile d'olive	1 c. à thé
500 ml	riz cuit	2 tasses
1	œuf battu	1
125 ml	cheddar partiellement écrémé, râpé	1/2 tasse
1 ml	sauce Tabasco	1/4 c. à thé
5 ml	concentré de poulet en poudre	1 c. à thé

GARNITURE

250 g	fromage à la crème partiellement écrémé	9 onces
125 ml	lait	1/2 tasse
4	œufs battus	4
375 ml	cheddar partiellement écrémé, râpé	1 1/2 tasse
15 ml	fécule de maïs	1 c. à soupe
15 ml	jus de citron	1 c. à soupe
2 ml	sel	1/2 c. à thé
au goût	poivre	au goût
1	poireau émincé	1
5 ml	huile d'olive	1 c. à thé

Préparation

1. Huiler le fond d'une assiette à quiche. Mettre les autres ingrédients de la croûte. Presser au fond de l'assiette.

2. Cuire la croûte au centre du four à 200 °C (400 °F) pendant 7 à 8 minutes. Réserver.

3. Dans un bol, défaire le fromage à la crème, ajouter le lait et les œufs, mélanger. Ajouter le fromage cheddar, la fécule, le jus de citron et les assaisonnements. Mélanger.

4. Faire revenir le poireau dans l'huile pendant 2 à 3 minutes et ajouter au mélange de fromage et d'œufs. Verser ce mélange dans la croûte de riz.

5. Cuire au four à 180 °C (350 °F) pendant 40 minutes ou jusqu'à ce que le centre de la quiche soit ferme et sa surface légèrement dorée.

Valeur nutritive par portion					
Kilojoules	2496	Glucides	27 g	Calcium	688 mg
Kilocalories	599	Lipides	40 g	Fer	2 mg
Protéines	32 g	Fibres	1 g	Sodium	1101 mg

Groupes alimentaires et échanges				Légende	
Féculents	1	Viandes et substituts	4		
Fruits	0	Matières grasses	4	Mets végétarien	
Légumes	0	Aliments			
Lait	0	avec sucre ajouté	0		

Roulé de veau
aux asperges

PRÉPARATION	CUISSON	RENDEMENT
5 minutes	15 minutes	2 portions

Ingrédients

2 x 100 g	escalopes de veau minces	2 x 3 ½ onces
au goût	sel et poivre	au goût
2	tranches minces de jambon Forêt Noire	2
2	tranches minces de fromage suisse	2
1 boîte de 341 ml	pointes d'asperges entières égouttées	1 boîte de 12 onces

Préparation

1. Étaler les escalopes de veau.
2. Saler et poivrer.
3. Superposer les tranches de jambon et de fromage sur chaque escalope.

4. Au centre de chacune, placer environ 6 pointes d'asperges.
5. Enrouler, piquer avec un cure-dents, mettre dans un plat allant au four et cuire 15 minutes à 180 °C (350 °F).

Valeur nutritive par portion		
Kilojoules. 1245	Glucides . . . . 6 g	Calcium . . . . 303 mg
Kilocalories 299	Lipides. . . . . 13 g	Fer . . . . 5 mg
Protéines . . . . 41 g	Fibres. . . . . 2 g	Sodium . . . . 1250 mg

Groupes alimentaires et échanges		Légende
Féculents 0	Viandes et substituts. 5	
Fruits 0	Matières grasses 0	
Légumes 1	Aliments	
Lait 0	avec sucre ajouté 0	

Salade de fusilli
à la dinde et au saumon fumé

PRÉPARATION	CUISSON	RENDEMENT
20 minutes	8 minutes	2 portions

Ingrédients

500 ml	fusilli de couleur, cuits	2 tasses
150 g	dinde cuite coupée en morceaux	1 1/4 tasse
40 g	saumon fumé en lanières	1 1/2 once
1 branche	céleri haché finement	1 branche
1	carotte râpée	1
1/4	poivron vert haché	1/4
30 ml	amandes effilées	2 c. à soupe

VINAIGRETTE

60 ml	yogourt nature	1/4 tasse
30 ml	jus de citron	2 c. à soupe
60 ml	jus de pomme	1/4 tasse
10 ml	huile d'olive	2 c. à thé
10 ml	sauce soya ou tamari	2 c. à thé
5 ml	miel	1 c. à thé
1 pincée	cumin	1 pincée
au goût	sel et poivre	au goût

Préparation

1. Mettre tous les ingrédients de la salade dans un bol.

2. Mélanger tous les ingrédients de la vinaigrette et verser sur la salade. Brasser.

Valeur nutritive par portion				
Kilojoules. 1849	Glucides . . . . 57 g	Calcium . . . . 122 mg		
Kilocalories 444	Lipides. . . . . 9 g	Fer . . . . 23 mg		
Protéines. . . . . 32 g	Fibres. . . . . 2 g	Sodium. . . . . . . 611 mg		
Groupes alimentaires et échanges			**Légende**	
Féculents 2	Viandes et substituts. 4			
Fruits 0	Matières grasses 1			
Légumes 2	Aliments			
Lait 0	avec sucre ajouté 0			

Salade de légumineuses

PRÉPARATION	CUISSON	RENDEMENT
20 minutes	Aucune	6 portions

Ingrédients

VINAIGRETTE

30 ml	huile d'olive	2 c. à soupe
30 ml	vinaigre balsamique ou de vin rouge	2 c. à soupe
30 ml	jus de citron	2 c. à soupe
5 ml	basilic séché	1 c. à thé
1 pincée	origan séché	1 pincée
au goût	poivre	au goût
5 ml	sel	1 c. à thé
au goût	zeste de citron	au goût
1 pincée	grains de coriandre en poudre	1 pincée
1 pincée	cumin	1 pincée
1 pincée	clou de girofle en poudre	1 pincée

LÉGUMES

1 litre	légumineuses mélangées, rincées et égouttées	32 onces
250 ml	concombre en dés	1 tasse
2	tomates en dés	2
60 ml	oignon doux haché	¼ tasse
60 ml	persil frais haché	¼ tasse

Préparation

1. Combiner les ingrédients de la vinaigrette et réserver.
2. Couper les légumes en petits cubes et les mélanger avec les légumineuses.
3. Ajouter la vinaigrette et mélanger.
4. Servir comme accompagnement ou comme plat principal.

Valeur nutritive par portion		
Kilojoules 824	Glucides . . . . 31 g	Calcium . . . . 69 mg
Kilocalories 198	Lipides . . . . 6 g	Fer . . . . 3 mg
Protéines . . . . 8 g	Fibres . . . . 4 g	Sodium . . . . 668 mg

Groupes alimentaires et échanges		Légende
Féculents . . . . 1 ½	Viandes et substituts 1	
Fruits 0	Matières grasses 1	Sans produits laitiers
Légumes 1	Aliments	Mets végétarien
Lait 0	avec sucre ajouté 0	

Salade de saumon
et de pommes de terre

PRÉPARATION	CUISSON	RENDEMENT
25 minutes	Aucune	4 portions

Ingrédients

1,5 litre	laitue frisée déchiquetée	6 tasses
426 g	saumon cuit émietté	15 onces
500 ml	pommes de terre cuites avec pelure, en dés	2 tasses
125 ml	céleri haché	½ tasse
30 ml	huile d'olive	2 c. à soupe
30 ml	moutarde de Dijon	2 c. à soupe
15 ml	vinaigre de vin rouge ou jus de citron	1 c. à soupe
au goût	sel et poivre	au goût
30 ml	aneth frais	2 c. à soupe
125 ml	germes de luzerne	½ tasse
60 ml	noix	¼ tasse

Préparation

1. Dans un grand bol, mettre la laitue, le saumon, les pommes de terre et le céleri.

2. Mélanger les ingrédients de la vinaigrette : huile, vinaigre ou jus de citron, sel, poivre et aneth. Réserver.

3. Garnir la salade des germes de luzerne et des noix. Arroser avec la vinaigrette.

Valeur nutritive par portion		
Kilojoules. 1535	Glucides . . . . 26 g	Calcium . . . . 353 mg
Kilocalories 368	Lipides. . . . . 18 g	Fer . . . . 4 mg
Protéines. . . . . 28 g	Fibres. . . . . 4 g	Sodium. . . . . 213 mg

Groupes alimentaires et échanges		Légende
Féculents 1	Viandes et substituts. . 3 1/2	
Fruits 0	Matières grasses 2	
Légumes 2	Aliments	Sans produits laitiers
Lait 0	avec sucre ajouté 0	

Salade froide au thon

PRÉPARATION	CUISSON	RENDEMENT
10 minutes	Aucune	2 portions de 2 tasses

Ingrédients

125 ml	poivron rouge haché	½ tasse
125 ml	poivron vert haché	½ tasse
500 ml	concombres en demi-tranches	2 tasses
1	tomate de grosseur moyenne en quartiers	1
1 boîte de 120 g	thon dans l'eau, égoutté	1 boîte de 4 ½ onces
45 ml	huile d'olive	3 c. à soupe
2 pincées	poivre	2 pincées
5 ml	poudre d'ail	1 c. à thé
2 pincées	sel de céleri	2 pincées
1 pincée	origan	1 pincée
au goût	sel	au goût

Préparation

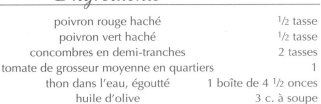

1. Couper les légumes, les mélanger dans un bol.

2. Ajouter le thon en flocons.

3. Ajouter l'huile et les assaisonnements.

Valeur nutritive par portion		
Kilojoules. 1380	Glucides . . . . .14 g	Calcium . . . . .50 mg
Kilocalories 332	Lipides. . . . . .22 g	Fer . . . . .4 mg
Protéines. . . . . .22 g	Fibres. . . . . .2 g	Sodium. . . . . . . .44 mg
Groupes alimentaires et échanges		**Légende**
Féculents 0	Viandes et substituts. 3	
Fruits 0	Matières grasses. 3	Sans produits laitiers
Légumes 3	Aliments	
Lait 0	avec sucre ajouté 0	

Sauce à spaghetti
aux lentilles

PRÉPARATION	CUISSON	RENDEMENT
20 minutes	20 minutes	4 portions

Ingrédients

15 ml	huile d'olive	1 c. à soupe
1	oignon moyen émincé	1
1	gousse d'ail émincée	1
1	carotte râpée	1
1/2	poivron vert émincé	1/2
375 ml	lentilles cuites, égouttées	1 1/2 tasse
500 ml	sauce tomate à l'italienne	2 tasses
250 ml	tomates en conserve coupées	1 tasse
5	champignons frais tranchés	5
5 ml	basilic	1 c. à thé
5 ml	origan	1 c. thé
au goût	sel et poivre	au goût
1	courgette moyenne en demi-tranches	1

Préparation

1. Faire revenir dans l'huile l'oignon, l'ail, les carottes et le poivron.

2. Incorporer les lentilles, la sauce tomate à l'italienne, les tomates, les champignons, les assaisonnements et les courgettes. Laisser mijoter 15 minutes. Servir sur des pâtes cuites.

Valeur nutritive par portion					
Kilojoules	750	Glucides	28 g	Calcium	97 mg
Kilocalories	180	Lipides	6 g	Fer	3 mg
Protéines	11 g	Fibres	7 g	Sodium	927 mg
Groupes alimentaires et échanges				**Légende**	
Féculents	1	Viandes et substituts	1		
Fruits	0	Matières grasses	0	Sans produits laitiers	
Légumes	2	Aliments		Mets végétarien	
Lait	0	avec sucre ajouté	0		

Plats principaux

Saumon grillé
à l'orange

PRÉPARATION	CUISSON	RENDEMENT
10 minutes	10 minutes	2 portions

Ingrédients

2 x 150 g	saumon en darnes	2 x 5 onces
1 pincée	piment de la Jamaïque* moulu	1 pincée
15 ml	graines de sésame	1 c. à soupe
5 ml	gingembre haché finement	1 c. à thé
5 ml	coriandre fraîche	1 c. à thé
5 ml	zeste d'orange	1 c. à thé
30 ml	jus d'orange	2 c. à soupe
1	gousse d'ail émincée	1
au goût	sel	au goût

* Aussi nommé toute-épice.

Préparation

1. Saupoudrer de chaque côté des darnes le piment de la Jamaïque et les graines de sésame.

2. Saisir à feu vif de chaque côté. Réduire à feu moyen-doux.

3. Ajouter le zeste, le gingembre, la coriandre, l'ail et le sel. Verser le jus d'orange et laisser cuire le saumon jusqu'à la cuisson désirée.

Valeur nutritive par portion		
Kilojoules. 1307	Glucides . . . . 4 g	Calcium . . . . 12 mg
Kilocalories 314	Lipides. . . . . 3 g	Fer . . . . 1 mg
Protéines. . . . . 31 g	Fibres. . . . . 0 g	Sodium. . . . . 91 mg
Groupes alimentaires et échanges		**Légende**
Féculents 0	Viandes et substituts. 4	Sans produits laitiers
Fruits 0	Matières grasses 0	
Légumes 0	Aliments	
Lait 0	avec sucre ajouté 0	

Tofu à l'arachide

PRÉPARATION	CUISSON	RENDEMENT
10 minutes	10 minutes	4 portions

Ingrédients

454 g	tofu ferme, coupé en languettes	1 livre
227 g	champignons frais, coupés en deux	8 onces
15 ml	huile d'arachide ou d'olive	1 c. à soupe
3	oignons verts hachés	3
	SAUCE	
5 ml	gingembre frais râpé	1 c. à thé
60 ml	sauce soya ou tamari	¼ tasse
20 ml	vinaigre de riz ou de cidre	4 c. à thé
20 ml	miel	4 c. à thé
60 ml	beurre d'arachide naturel	¼ tasse
250 ml	eau	1 tasse
au goût	poivre	au goût
1 pincée	poudre d'ail	1 pincée

Préparation

1. Dans un poêlon, faire revenir pendant 2 à 3 minutes dans l'huile le tofu, les oignons verts et les champignons.

2. Mélanger les ingrédients de la sauce, verser sur le tofu. Laisser mijoter 8 minutes. Servir sur du riz ou des vermicelles.

Valeur nutritive par portion		
Kilojoules. 1093	Glucides . . . . 16 g	Calcium . . . . 134 mg
Kilocalories 262	Lipides. . . . . 17 g	Fer . . . . 8 mg
Protéines . . . . 16 g	Fibres. . . . . 4 g	Sodium. . . . . . . 1130 mg

Groupes alimentaires et échanges		Légende
Féculents 0	Viandes et substituts. 2	
Fruits 0	Matières grasses. 2	Sans produits laitiers
Légumes 3	Aliments	Mets végétarien
Lait 0	avec sucre ajouté 0	

Tofu mariné
sur un nid de légumes

PRÉPARATION	CUISSON	RÉFRIGÉRATION	RENDEMENT
30 minutes	15 minutes	2 heures	2 portions

Ingrédients

MARINADE

225 g	tofu nature	1/2 livre
60 ml	sauce soya ou tamari	1/4 tasse
15 ml	vinaigre de riz ou de cidre	1 c. à soupe
15 ml	jus de citron	1 c. à soupe
60 ml	eau tiède	1/4 tasse
15 ml	miel	1 c. à soupe
1	gousse d'ail écrasée	1
1 pincée	gingembre	1 pincée
au goût	poivre	au goût

LÉGUMES

10 ml	huile d'arachide ou de canola	2 c. à thé
10	pois mangetout	10
5	champignons	5
1	carotte en rondelles	1
1 branche	céleri coupé en biseau	1 branche
1/4	poivron rouge coupé en lanières	1/4
1/4	poivron vert coupé en lanières	1/4
15 ml	fécule de maïs	1 c. à soupe

Préparation

1. Couper le tofu en petits cubes. Mélanger tous les ingrédients de la marinade et y ajouter le tofu. Laisser mariner au réfrigérateur durant 2 heures ou plus.

2. Faire sauter les légumes dans l'huile pendant 4 à 5 minutes. Réserver 60 ml (1/4 tasse) de marinade froide.

3. Ajouter le tofu et le reste de la marinade aux légumes, faire cuire de 6 à 8 minutes.

4. Délayer la fécule dans la marinade froide et ajouter au mélange de légumes et de tofu; laisser mijoter durant 2 à 3 minutes. Servir.

Valeur nutritive par portion		
Kilojoules. 1182	Glucides . . . . 27 g	Calcium . . . . 277 mg
Kilocalories 283	Lipides. . . . . 18 g	Fer . . . . 10 mg
Protéines. . . . . 21 g	Fibres. . . . . 5 g	Sodium. . . . . 706 mg

Groupes alimentaires et échanges		Légende
Féculents 0	Viandes et substituts. . 2 1/2	Sans produits laitiers
Fruits 0	Matières grasses. 1	Mets végétarien
Légumes 3	Aliments	
Lait 0	avec sucre ajouté 0	

Tourte méditerranéenne

PRÉPARATION	CUISSON	RENDEMENT
30 minutes	40 minutes	6 portions

Ingrédients

CROÛTE À L'HUILE D'OLIVE

250 ml	farine de blé intégrale ou de kamut	2 tasses
10 ml	sel	2 c. à thé
10 ml	levure chimique (poudre à pâte)	2 c. à thé
125 ml	huile d'olive	½ tasse
125 ml	lait ou boisson de soya enrichie	½ tasse
1	œuf entier	1

GARNITURE

1	oignon moyen haché	1
10 ml	huile d'olive	2 c. à thé
1	tomate fraîche hachée	1
1	poivron rouge en lanières	1
125 ml	épinards tombés à la vapeur	½ tasse
3	petites courgettes en rondelles	3
7	œufs battus	7
au goût	sel et poivre	au goût
2 pincées	origan et basilic	2 pincées
3	olives noires hachées	3
60 ml	tomates séchées hachées	¼ tasse

Préparation

1. Dans un bol, mélanger la farine, le sel et la levure. Réserver. Dans un autre bol, battre l'huile d'olive, le lait et l'œuf. Verser les ingrédients liquides d'un trait dans les ingrédients secs. Travailler le mélange jusqu'à ce qu'il soit homogène. Former une boule avec la pâte, couvrir et réfrigérer au moins 30 minutes. Abaisser le quart de la pâte et placer au fond d'une assiette à tarte de 23 cm (9 pouces). Conserver le reste de la pâte au congélateur.

2. Faire revenir l'oignon dans l'huile. Placer en couches successives l'oignon cuit, les tomates, le poivron, les épinards et les courgettes. Battre les œufs et ajouter les assaisonnements. Verser dans la croûte. Décorer avec les olives noires et les tomates séchées. Cuire 40 minutes à 180 °C (350 °F).

Valeur nutritive par portion		
Kilojoules 963	Glucides . . . . 24 g	Calcium . . . . 97 mg
Kilocalories 231	Lipides. . . . . 10 g	Fer . . . . 3 mg
Protéines. . . . . 14 g	Fibres. . . . . 4 g	Sodium. . . . . . . 925 mg

Groupes alimentaires et échanges		Légende
Féculents 1	Viandes et substituts. 2	
Fruits 0	Matières grasses 1	Mets végétarien
Légumes 2	Aliments	
Lait 0	avec sucre ajouté 0	

Velouté aux fruits de mer

PRÉPARATION	CUISSON	RENDEMENT
15 minutes	15 minutes	6 portions de 250 ml (1 tasse)

Ingrédients

500 ml	bouillon de poulet	2 tasses
250 ml	carottes en rondelles	1 tasse
250 ml	têtes de brocoli	1 tasse
60 ml	huile d'olive	1/4 tasse
180 ml	oignon émincé	3/4 tasse
125 ml	céleri haché finement	1/2 tasse
80 ml	farine de blé ou de riz brun	1/3 tasse
30 ml	fécule de tapioca ou de maïs	2 c. soupe
250 ml	lait ou boisson de soya enrichie	1 tasse
100 g	crevettes	1/4 livre
100 g	pétoncles	1/4 livre
5 ml	sel	1 c. à thé
5 ml	origan séché	1 c. à thé
2 pincées	sel de céleri	2 pincées
2 pincées	moutarde en poudre	2 pincées
au goût	poivre	au goût
1 pincée	poudre d'ail	1 pincée
1 pincée	muscade	1 pincée
1 boîte de 100 g	moules fumées	1 boîte de 3 1/2 onces

Préparation

1. Faire chauffer le bouillon de poulet; réserver.

2. Cuire les carottes et le brocoli à la vapeur 5 minutes et réserver.

3. Pendant ce temps, faire chauffer l'huile d'olive, y faire revenir les oignons et le céleri jusqu'à transparence. Mélanger la farine et la fécule, ajouter au mélange d'oignon et de céleri. Faire cuire ensemble une à deux minutes en brassant constamment.

4. Ajouter graduellement le bouillon de poulet chaud tout en brassant avec un fouet. Puis, ajouter le lait ou la boisson de soya et brasser encore.

5. Ajouter les fruits de mer (sauf les moules fumées), les légumes et les assaisonnements et laisser chauffer à feu doux quelques minutes. Servir cette sauce sur des pâtes ou du riz et garnir avec les moules fumées.

Valeur nutritive par portion					
Kilojoules	1947	Glucides	37 g	Calcium	217 mg
Kilocalories	467	Lipides	22 g	Fer	4 mg
Protéines	29 g	Fibres	3 g	Sodium	1500 mg

Groupes alimentaires et échanges			Légende
Féculents	2	Viandes et substituts	3 1/2	
Fruits	0	Matières grasses	1	
Légumes	1	Aliments		
Lait	0	avec sucre ajouté	0	

Desserts

Biscuits au chocolat
à la farine d'épeautre

PRÉPARATION	CUISSON	RENDEMENT
15 minutes	8 à 10 minutes	10 portions de 2 biscuits

Ingrédients

300 ml	farine d'épeautre (ou de blé entier)	1 ¼ tasse
2 ml	bicarbonate de soude	½ c. à thé
1 pincée	sel	1 pincée
60 ml	huile de canola	¼ tasse
80 ml	cassonade tassée	⅓ tasse
80 ml	cacao	⅓ tasse
2	œufs	2
15 ml	essence de vanille	1 c. à soupe

Préparation

1. Préchauffer le four à 190 °C (375 °F). Dans un petit bol, mélanger la farine, le bicarbonate de soude et le sel.

2. Dans un grand bol, mélanger l'huile, la cassonade et le cacao.

3. Lorsque le mélange est lisse et crémeux, ajouter en battant les œufs et la vanille.

4. Avec une cuillère de bois, incorporer les ingrédients secs.

5. Déposer la pâte par cuillerée à thé comble sur des plaques à biscuits non graissées en laissant un espace de 5 cm entre chacune. Faire cuire au four 8 à 10 minutes à 180 °C (350 °F).

6. Lorsqu'ils commencent à dorer sur les bords, retirer les biscuits et laisser tiédir sur des grilles.

Valeur nutritive par portion					
Kilojoules	630	Glucides	26 g	Calcium	319 mg
Kilocalories	134	Lipides	9 g	Fer	3 mg
Protéines	6 g	Fibres	2 g	Sodium	19 mg

Groupes alimentaires et échanges				Légende
Féculents	1	Viandes et substituts	0	
Fruits	0	Matières grasses	2	Sans produits laitiers
Légumes	0	Aliments		Mets végétarien
Lait	0	avec sucre ajouté	1	

Bouchées de caroube
au miel

PRÉPARATION	CUISSON	RENDEMENT
10 minutes	Aucune	15 boules

Ingrédients

125 ml	caroube en poudre*	1/2 tasse
60 ml	graines de tournesol	1/4 tasse
60 ml	graines de sésame	1/4 tasse
60 ml	miel	1/4 tasse
80 ml	beurre d'arachide naturel	1/3 tasse
30 ml	eau	2 c. à soupe
60 ml	noix de coco râpée non sucrée	1/4 tasse

* Ceux qui le désirent peuvent remplacer la caroube par du cacao.

Préparation

1. Mélanger tous les ingrédients, à l'exception de la noix de coco.

2. Confectionner de petites boules (2 cm ou 1 pouce de diamètre), puis les rouler dans la noix de coco.

Valeur nutritive par portion		
Kilojoules. 1866	Glucides . . . . 41 g	Calcium . . . . 94 mg
Kilocalories 446	Lipides. . . . . 28 g	Fer . . . . 3 mg
Protéines. . . . . 13 g	Fibres. . . . . 4 g	Sodium . . . . 89 mg
Groupes alimentaires et échanges		**Légende**
Féculents 1	Viandes et substituts. 1	Sans produits laitiers
Fruits 0	Matières grasses 4	Mets végétarien
Légumes 0	Aliments	
Lait 0	avec sucre ajouté. 1 1/2	

Brownies au tofu

PRÉPARATION	CUISSON	RENDEMENT
10 minutes	20 minutes	16 portions

Ingrédients

10 ml	vanille	2 c. à thé
349 g	tofu de style soyeux, ferme	12 1/3 onces
250 ml	farine de riz brun	1 tasse
125 ml	miel	1/2 tasse
45 ml	huile de canola	3 c. à soupe
2 ml	sel	1/2 c. à thé
180 ml	cacao	3/4 tasse
30 ml	fécule de tapioca ou de maïs	2 c. à soupe
5 ml	poudre à pâte	1 c. à thé
80 ml	noix	1/3 tasse

Préparation

1. Au mélangeur ou à l'aide du robot, défaire le tofu pour qu'il devienne crémeux.

2. Ajouter la farine de riz, le miel, l'huile, le sel, le cacao, la fécule et la poudre à pâte. Mélanger jusqu'à consistance lisse.

3. Ajouter les noix et brasser à la main avec une cuiller. Verser dans un moule en pyrex huilé de 23 x 23 cm (9 x 9 po). Cuire 20 minutes à 180 °C (350 °F).

Valeur nutritive par portion				
Kilojoules..........571	Glucides..........21 g	Calcium..........32 mg
Kilocalories........137	Lipides............5 g	Fer.............1 mg
Protéines...........3 g	Fibres.............1 g	Sodium.........12 mg

Groupes alimentaires et échanges		Légende
Féculents.............1	Viandes et substituts.....0	
Fruits................0	Matières grasses........1	Sans produits laitiers
Légumes.............0	Aliments	Mets végétarien
Lait.................0	avec sucre ajouté......1/2	

Salade
de betteraves

Pâté berger
à l'agneau

Gâteau
« grand-mère »
aux pommes
et à la mélasse

Salade de carottes
et de graines
de tournesol

32 _____

Pizza pita
au saumon fumé

78 _____

Salade de fruits

128 _____

Salade de riz et de lentilles

Pâté au saumon
sans croûte

Crêpes de teff

Salade marinée japonaise

Velouté aux fruits de mer

Pain aux bananes
et aux figues

Salade taboulé
à l'amarante

Omelette
à la grecque

Biscuits au chocolat
à la farine d'épeautre

Soupe au bœuf
et à la citronnelle

Tourte
méditerranéenne

Vinaigrette
au beurre de noix

Soupe
jardinière

Poulet sauté
à la provençale

Gruau de quinoa
parfumé à la noix de coco

Soupe de légumes
au tofu

Poulet et légumes
sautés à la vietnamienne

Crème de riz
au miel et aux dattes

Soupe florentine

Sauce à spaghetti
aux lentilles

Poires à la ricotta

Soupe aux haricots rouges

Nouilles au thon

Beurre à l'huile

Carrés aux amandes
et aux framboises

PRÉPARATION	CUISSON	RENDEMENT
15 minutes	12 minutes	30 carrés

Ingrédients

125 ml	margarine non hydrogénée	½ tasse
2	œufs battus	2
125 ml	cassonade tassée	½ tasse
680 ml	amandes entières moulues	2 ¾ tasses
375 ml	farine de blé intégrale ou de riz brun	1 ½ tasse
60 ml	fécule de tapioca ou de maïs	¼ tasse
2 pincées	sel	2 pincées
125 ml	confiture de framboises sans sucre ajouté	½ tasse
45 ml	noix de coco râpée non sucrée	3 c. à soupe

Préparation

1. Battre ensemble l'huile, l'œuf et la cassonade.

2. Ajouter les amandes moulues, la farine, la fécule et le sel. Bien mélanger.

3. Presser le mélange au fond d'un moule en pyrex huilé de 33 x 23 cm (13 x 9 pouces).

4. Cuire 12 minutes à 180 °C (350 °F). Laisser refroidir.

5. Étendre la confiture en une mince couche sur la préparation aux amandes.

6. Saupoudrer de noix de coco.

Valeur nutritive par portion		
Kilojoules. 536	Glucides . . . . 16 g	Calcium . . . . 23 mg
Kilocalories 129	Lipides. . . . . 7 g	Fer . . . . 1 mg
Protéines. . . . . 2 g	Fibres. . . . . 2 g	Sodium. . . . . 52 mg

Groupes alimentaires et échanges		Légende
Féculents 0	Viandes et substituts. 0	
Fruits 0	Matières grasses. 1	Mets végétarien
Légumes 0	Aliments	
Lait 0	avec sucre ajouté 1	

Carrés croustillants
aux dattes et aux abricots

PRÉPARATION	CUISSON	RENDEMENT
30 minutes	5 minutes	15 barres

Ingrédients

250 ml	dattes hachées	1 tasse
125 ml	abricots séchés hachés	½ tasse
125 ml	noix de Grenoble hachées	½ tasse
2	œufs	2
60 ml	cassonade	¼ tasse
500 ml	céréales de riz brun croquantes	2 tasses
5 ml	essence de vanille	1 c. à thé
au goût	noix de coco séchée	au goût

Préparation

1. Hacher les dattes, les abricots et les noix. Dans une casserole, mélanger les œufs et la cassonade pour obtenir une consistance homogène.

2. Ajouter les dattes et les abricots. Cuire à feu moyen, en brassant fréquemment, jusqu'à consistance épaisse et onctueuse. Retirer du feu. Incorporer les céréales, les noix et l'essence de vanille.

3. Tasser dans un moule carré de 20 cm (8 po). Parsemer le dessus de la noix de coco séchée. Laisser refroidir au moins 30 minutes.

4. Tailler en barre de 2 cm x 5 cm (1 po x 2 po) et servir.

Valeur nutritive par portion		
Kilojoules. 145	Glucides . . . . .19 g	Calcium . . . . 16 mg
Kilocalories 608	Lipides. . . . . 8 g	Fer . . . . .1 mg
Protéines. . . . . .3 g	Fibres. . . . . .1 g	Sodium. . . . . 49 mg

Groupes alimentaires et échanges		Légende
Féculents . . . . .½	Viandes et substituts. 0	
Fruits . . . . .½	Matières grasses 1	Sans produits laitiers
Légumes 0	Aliments	Mets végétarien
Lait 0	avec sucre ajouté 0	

Crème aux œufs
parfumée à l'orange

PRÉPARATION	CUISSON	RENDEMENT
5 minutes	20 minutes	6 portions de ½ tasse

Ingrédients

750 ml	lait ou boisson enrichie de soya ou de riz	3 tasses
3	jaunes d'œufs	3
45 ml	farine tout usage ou de riz	3 c. à soupe
60 ml	cassonade	¼ tasse
7 ml	vanille	1 ½ c. à thé
	zeste d'une orange	

Préparation

1. Dans une casserole, mélanger les ingrédients avec un fouet. Chauffer en brassant continuellement sans faire bouillir, pendant 20 minutes à feu doux, jusqu'à épaississement.

2. Réfrigérer. Servir seul ou avec des fruits frais.

Valeur nutritive par portion		
Kilojoules. 513	Glucides . . . . 18 g	Calcium . . . . 167 mg
Kilocalories 123	Lipides. . . . . 3 g	Fer . . . . 0 mg
Protéines. . . . . 5 g	Fibres. . . . . 2 g	Sodium. . . . . 68 mg

Groupes alimentaires et échanges		Légende
Féculents 0	Viandes et substituts. 0	
Fruits 0	Matières grasses. 0	Mets végétarien
Légumes 0	Aliments	
Lait. . . . . ½	avec sucre ajouté 1	

Croustade aux pommes
et au millet

PRÉPARATION	CUISSON	RENDEMENT
15 minutes	20 minutes	6 portions

Ingrédients

750 ml	pommes pelées, tranchées	3 tasses
5 ml	cannelle moulue	1 c. à thé
1 pincée	muscade	1 pincée

Garniture

250 ml	flocons de millet	1 tasse
30 ml	farine de blé intégrale ou de riz brun	2 c. à soupe
1 pincée	sel	1 pincée
2 pincées	cannelle moulue	2 pincées
30 ml	miel	2 c. à soupe
45 ml	huile de canola	3 c. à soupe

Préparation

1. Préchauffer le four à 180 °C (350 °F). Préparer les tranches de pommes ; brasser légèrement avec les épices. Verser uniformément dans un plat à cuisson individuel ou une assiette à tarte de 20 cm (8 pouces).

2. Dans un bol à mélanger, battre ensemble les ingrédients de la garniture.

3. Répandre uniformément sur les pommes. Faire cuire au four 20 minutes ou jusqu'à ce que les pommes soient tendres

Valeur nutritive par portion		
Kilojoules 1032	Glucides 42g	Fer . . . . 1 mg
Kilocalories 247	Lipides . . . . 8 g	Calcium . . . . 11 mg
Protéines . . . . 3 g	Fibres . . . . 4 g	Sodium . . . . 49 mg

Groupes alimentaires et échanges		Légende
Féculents . . . . 1 ½	Viandes et substituts 0	
Fruits 1	Matières grasses . . . . . 1 ½	Sans produits laitiers
Légumes 0	Aliments	Mets végétarien
Lait 0	avec sucre ajouté 0	

Galettes à la mélasse

PRÉPARATION	CUISSON	RENDEMENT
10 minutes	12 minutes	24 galettes

Ingrédients

125 ml	huile de canola	1/2 tasse
125 ml	mélasse verte (blackstrap)	1/2 tasse
2	œufs légèrement battus	2
375 ml	farine de blé intégrale	1 1/2 tasse
5 ml	poudre à pâte	1 c. à thé
0,5 ml	bicarbonate de soude	1/8 c. à thé
375 ml	flocons d'avoine	1 1/2 tasse
2 pincées	sel	2 pincées
1 pincée	cannelle	1 pincée
1 pincée	gingembre	1 pincée

Préparation

1. Dans un bol, mélanger l'huile, la mélasse et les œufs.

2. Tamiser ensemble la farine, la poudre à pâte et le bicarbonate. Incorporer ces derniers, les flocons d'avoine et les épices au premier mélange.

3. Déposer à la cuillère sur une plaque à biscuits légèrement huilée. Cuire au four à 190 °C (375 °F) 12 minutes ou jusqu'à ce que les biscuits soient légèrement dorés.

Valeur nutritive par portion (une galette)		
Kilojoules. 1091	Glucides . . . . 33 g	Calcium . . . . 145 mg
Kilocalories 262	Lipides. . . . . 12 g	Fer . . . . 4 mg
Protéines. . . . . 7 g	Fibres. . . . . 3 g	Sodium. . . . . 20 mg

Groupes alimentaires et échanges		Légende
Féculents 1	Viandes et substituts. 0	Sans produits laitiers
Fruits 0	Matières grasses 1	Mets végétarien
Légumes 0	Aliments	
Lait 0	avec sucre ajouté 1	

Gâteau au fromage
et à l'Amaretto

PRÉPARATION	CUISSON	RÉFRIGÉRATION	RENDEMENT
25 minutes	12 minutes	5 heures	8 portions

Ingrédients

CROÛTE

180 ml	chapelure de biscuits Graham	3/4 tasse
60 ml	farine blé intégrale	1/4 tasse
60 ml	germe de blé	1/4 tasse
60 ml	amandes effilées	1/4 tasse
30 ml	miel ou sirop d'érable	2 c. à soupe
30 ml	huile de canola	2 c. à soupe

GARNITURE

500 ml	fromage cottage	2 tasses
125 ml	sucre brut	1/2 tasse
45 ml	liqueur d'Amaretto	3 c. à soupe
	ou	
2 ml	extrait d'amande	1/2 c. à thé
125 ml	jus de pomme	1/2 tasse
1	sachet de gélatine sans saveur (7 g)	1

Préparation

1. Mélanger tous les ingrédients de la croûte dans un bol, en écrasant les grumeaux à l'aide d'une fourchette. Tasser ce mélange fermement et uniformément avec une cuillère dans le fond et sur les parois d'un moule à gâteau de 21 x 21 cm (8 1/2 x 8 1/2 po).

2. Cuire 12 minutes à 160 °C (325 °F). Refroidir au réfrigérateur avant de garnir.

3. Mélanger le fromage cottage au robot culinaire jusqu'à l'obtention d'une texture lisse. Ajouter peu à peu le sucre et la liqueur d'Amaretto (ou l'extrait d'amande).

4. Chauffer ensemble le jus de pomme et la gélatine jusqu'à dissolution complète de la gélatine et mijoter de 2 à 3 minutes. Refroidir avec un peu de préparation de fromage et ajouter le jus de pomme au fromage.

5. Bien mélanger. Déposer dans la croûte refroidie. Réfrigérer 5 heures. Servir avec un coulis de votre fruit préféré (fraise, framboise, bleuet, pêche...).

Valeur nutritive par portion		
Kilojoules. 942	Glucides . . . . 30 g	Calcium . . . . 37 mg
Kilocalories 226	Lipides. . . . . 7 g	Fer . . . . 1 mg
Protéines . . . . 14 g	Fibres. . . . . 2 g	Sodium. . . . . 146 mg

Groupes alimentaires et échanges		Légende
Féculents 1	Viandes et substituts. 1	
Fruits 0	Matières grasses 1	Mets végétarien
Légumes 0	Aliments	
Lait 0	avec sucre ajouté 1	

Gâteau « grand-mère »
aux pommes et à la mélasse

PRÉPARATION	CUISSON	RENDEMENT
15 minutes	25 à 30 minutes	6 à 8 portions

Ingrédients

4	pommes moyennes	4
375 ml	farine de blé intégrale	1 ½ tasse
15 ml	poudre à pâte	1 c. à soupe
2 ml	sel	½ c. à thé
80 ml	huile de canola	⅓ tasse
60 ml	mélasse verte (blackstrap)	¼ tasse
125 ml	lait partiellement écrémé	½ tasse
1	œuf légèrement battu	1

Préparation

1. Peler et trancher les pommes. Disposer au fond d'une assiette à tarte en pyrex de 23 cm (9 po).
2. Mélanger et tamiser ensemble la farine, la poudre à pâte et le sel dans un grand bol.
3. Faire un creux au milieu des ingrédients secs et y ajouter les autres ingrédients. Remuer à peine, seulement pour bien mêler. Verser et étendre la pâte pour recouvrir complètement les fruits déjà préparés.
4. Cuire au four à 190 °C (375 °F) pendant 25 à 30 minutes. Laisser refroidir 10 minutes avant de servir. Dégager les côtés du gâteau et renverser sur un plat de service.

Valeur nutritive par portion		
Kilojoules. 1101	Glucides . . . . 40 g	Calcium . . . . 55 mg
Kilocalories 269	Lipides. . . . . 11 g	Fer . . . . 2 mg
Protéines. . . . . 5 g	Fibres. . . . . 5 g	Sodium. . . . . . . 299 mg

Groupes alimentaires et échanges		Légende
Féculents 1	Viandes et substituts. 0	
Fruits 1	Matières grasses. 2	Mets végétarien
Légumes 0	Aliments	
Lait 0	avec sucre ajouté . . . . . . ½	

Gelée et mousse aux fruits

PRÉPARATION	CUISSON	RÉFRIGÉRATION	RENDEMENT
10 minutes	5 minutes	60 à 90 minutes	8 portions de 125 ml (¹/₂ tasse)

Ingrédients

GELÉE

1 litre	jus pur de fruits mélangés	4 tasses
2 sachets	gélatine neutre	2 sachets
375 ml	petits fruits frais ou congelés	1 ¹/₂ tasse

Pour la mousse, ajouter :

500 ml	yogourt glacé à la vanille	2 tasses

Préparation

Préparation de la gelée

1. Mettre 250 ml (1 tasse) du jus dans une petite casserole. Ajouter les deux sachets de gélatine et laisser gonfler 10 minutes. Chauffer à feu doux jusqu'à dissolution complète.

2. Verser le reste du jus dans un grand bol, ajouter le mélange de jus et de gélatine et ajouter les fruits ; mélanger.

3. Verser dans des coupes à dessert ou laisser dans le grand bol et réfrigérer pendant une heure ou jusqu'à ce que la gelée soit ferme.

Préparation de la mousse

1. Pour confectionner une mousse, mettre la moitié de la gelée dans le bol du mélangeur.

2. Ajouter 250 ml (1 tasse) de yogourt glacé à la vanille et faire tourner le mélangeur jusqu'à ce que le mélange soit lisse.

3. Répéter avec l'autre moitié de la gelée.

4. Verser dans des coupes à dessert. Réfrigérer 30 minutes.

Valeur nutritive par portion (gelée)					
Kilojoules	290	Glucides	17 g	Calcium	18 mg
Kilocalories	69	Lipides	0 g	Fer	1 mg
Protéines	2 g	Fibres	1 g	Sodium	9 mg

Valeur nutritive par portion (mousse)					
Kilojoules	536	Glucides	26 g	Calcium	70 mg
Kilocalories	128	Lipides	2 g	Fer	1 mg
Protéines	4 g	Fibres	1 g	Sodium	40 mg

Groupes alimentaires et échanges		Légende
Féculents	0	Viandes et substituts	0	
Fruits	1 à 2	Matières grasses	0	
Légumes	0	Aliments		
Lait	0	avec sucre ajouté	0	

Muffins de teff
aux bananes

PRÉPARATION	CUISSON	RENDEMENT
15 minutes	15 à 20 minutes	12 muffins

Ingrédients

625 ml	farine de teff	2 ½ tasse
30 ml	fécule de tapioca ou de maïs	2 c. à soupe
45 ml	poudre à pâte	3 c. à soupe
1 ml	sel	¼ c. à thé
60 ml	raisins secs	¼ tasse
60 ml	amandes brunes	¼ tasse
180 ml	boisson enrichie de soya ou de riz	¾ tasse
30 ml	miel	2 c. à soupe
2	œufs	2
30 ml	huile de canola ou de noisettes	2 c. à soupe
15 ml	vanille	1 c. à soupe
2	bananes mûres	2

Préparation

1. Mélanger dans un bol la farine, la fécule, la poudre à pâte, le sel, les raisins secs et les amandes.

2. Fouetter dans un autre bol ou battre au mélangeur la boisson de soya ou de riz, le miel, les œufs, l'huile, la vanille et les bananes.

3. Ajouter aux ingrédients secs et bien mélanger avec une cuillère. Répartir également la pâte dans le moule à muffins.

4. Cuire à 180 °C (350 °F) pendant 15 à 20 minutes ou jusqu'à ce que les muffins reprennent leur forme quand on les presse légèrement avec le doigt.

Valeur nutritive par portion		
Kilojoules. 1447	Glucides . . . . 61 g	Calcium . . . . 129 mg
Kilocalories 353	Lipides. . . . . 8 g	Fer . . . . 5 mg
Protéines. . . . . 11 g	Fibres. . . . . 1 g	Sodium. . . . . 29 mg

Groupes alimentaires et échanges		Légende
Féculents 2	Viandes et substituts. 0	
Fruits 2	Matières grasses 1	Sans produits laitiers
Légumes 0	Aliments	Mets végétarien
Lait 0	avec sucre ajouté 0	

Muffins
aux courgettes et à l'ananas

PRÉPARATION	CUISSON	RENDEMENT
10 minutes	18 minutes	12 muffins

Ingrédients

250 ml	farine de blé intégrale	1 tasse
125 ml	son d'avoine	½ tasse
2 ml	soda à pâte	½ c. à thé
1 pincée	sel	1 pincée
1 pincée	cannelle	1 pincée
10 ml	poudre à pâte	2 c. à thé
125 ml	raisins secs	½ tasse
125 ml	noix hachées	½ tasse
250 ml	courgettes non pelées, râpées	1 tasse
125 ml	ananas broyés égouttés	½ tasse
60 ml	mélasse	¼ tasse
80 ml	huile de canola	⅓ tasse
1	œuf battu	1
5 ml	vanille	1 c. à thé

Préparation

1. Dans un bol, mélanger ensemble la farine, le son d'avoine, le soda, le sel, la cannelle, la poudre à pâte, les raisins secs et les noix. Mettre de côté.

2. Dans un autre bol mélanger les courgettes, l'ananas, la mélasse, l'huile, l'œuf et la vanille. Ajouter ce mélange aux ingrédients secs et remuer juste ce qu'il faut pour humecter.

3. Déposer dans des moules à muffins et cuire au four à 180 °C (350 °F) pendant 18 minutes. Laisser refroidir. Garder au réfrigérateur dans un contenant hermétique.

Valeur nutritive par portion				
Kilojoules 855	Glucides . . . . 28 g		Calcium . . . . 36 mg	
Kilocalories 205	Lipides . . . . 10 g		Fer . . . . 2 mg	
Protéines . . . . 5 g	Fibres . . . . 3 g		Sodium . . . . 11 mg	

Groupes alimentaires et échanges		Légende	
Féculents 1	Viandes et substituts 0		
Fruits . . . . ½	Matières grasses 2	Sans produits laitiers	
Légumes 0	Aliments	Mets végétarien	
Lait 0	avec sucre ajouté 0		

Muffins aux dattes
et à l'orange

PRÉPARATION	CUISSON	RENDEMENT
10 minutes	20 minutes	12 muffins

Ingrédients

1	orange entière non pelée, en cubes	1
125 ml	jus d'orange	1/2 tasse
125 ml	dattes dénoyautées hachées	1/2 tasse
80 ml	huile de canola	1/3 tasse
2	œufs	2
375 ml	farine de blé intégrale	1 1/2 tasse
5 ml	soda à pâte	1 c. thé
5 ml	poudre à pâte	1 c. thé
60 ml	cassonade	1/4 tasse
1 ml	sel	1/4 c. à thé

Préparation

1. Au mélangeur, réduire en purée l'orange, le jus d'orange et les dattes.

2. Ajouter l'huile et les œufs au contenu du mélangeur et continuer de battre jusqu'à consistance légère.

3. Tamiser les ingrédients secs. Verser le premier mélange sur les ingrédients secs. Remuer le tout délicatement.

4. Mettre dans des moules à muffins. (Truc : utiliser une cuillère à crème glacée pour mesurer les portions de chaque muffin). Cuire à 180 °C (350 °F) pendant 15 minutes.

Valeur nutritive par portion		
Kilojoules. 707	Glucides . . . . 24 g	Calcium . . . . 23 mg
Kilocalories 170	Lipides. . . . . 7 g	Fer . . . . 1 mg
Protéines. . . . . 4 g	Fibres. . . . . 28 g	Sodium. . . . . 14 mg

Groupes alimentaires et échanges		Légende
Féculents 1	Viandes et substituts. . . . 0	
Fruits 1/2	Matières grasses. 1	Sans produits laitiers
Légumes 0	Aliments	Mets végétarien
Lait 0	avec sucre ajouté. 0	

Muffins de kamut
aux raisins et aux pacanes

PRÉPARATION	CUISSON	RENDEMENT
10 minutes	15 minutes	12 muffins

Ingrédients

625 ml	farine de kamut	2 ¹/₂ tasses
15 ml	poudre à pâte	1 c. à soupe
1 pincée	sel de mer	1 pincée
125 ml	raisins secs	¹/₂ tasse
125 ml	pacanes	¹/₂ tasse
60 ml	cassonade	¹/₄ tasse
60 ml	huile de canola	¹/₄ tasse
15 ml	essence de vanille	1 c. à soupe
470 ml	lait ou boisson enrichie de soya ou de riz	1 ⁷/₈ tasse

Préparation

1. Préchauffer le four à 180 °C (350 °F).

2. Mélanger les ingrédients secs dans un bol.

3. Ajouter l'huile, la vanille et le lait (ou la boisson enrichie). Mélanger avec une cuillère, juste assez pour humecter les ingrédients secs.

4. Répartir également la pâte dans le moule à muffins.

5. Cuire pendant 15 minutes ou jusqu'à ce que les muffins reprennent leur forme quand on les presse légèrement avec le doigt.

Valeur nutritive par portion		
Kilojoules. 127	Glucides . . . . 13 g	Calcium . . . . 59 mg
Kilocalories 529	Lipides. . . . . 8 g	Fer . . . . 1 mg
Protéines . . . . 2 g	Fibres. . . . . 1 g	Sodium. . . . . 24 mg

Groupes alimentaires et échanges		Légende
Féculents 1	Viandes et substituts 0	
Fruits 0	Matières grasses . . . . . 1 ¹/₂	
Légumes 0	Aliments	Mets végétarien
Lait 0	avec sucre ajouté 0	

Muffins à la farine de riz

PRÉPARATION	CUISSON	RENDEMENT
10 minutes	15 minutes	12 muffins

Ingrédients

500 ml	farine de riz brun	2 tasses
125 ml	son de riz	1/2 tasse
15 ml	fécule de tapioca	1 c. à soupe
15 ml	poudre à pâte	1 c. à soupe
1 pincée	sel	1 pincée
125 ml	raisins secs	1/2 tasse
125 ml	amandes effilées	1/2 tasse
250 ml	lait ou boisson enrichie de soya ou de riz	1 tasse
2	œufs	2
60 ml	huile de canola pressée à froid	1/4 tasse
15 ml	essence de vanille	1 c. à soupe
45 ml	cassonade ou miel	3 c. soupe

Préparation

1. Préchauffer le four à 180 °C (350 °F).

2. Mélanger dans un bol la farine, le son de riz, la fécule de tapioca, la poudre à pâte, le sel, les raisins secs et les amandes.

3. Battre au mélangeur le lait ou la boisson enrichie de soya ou de riz, les œufs, l'huile, la vanille et la cassonade.

4. Ajouter aux ingrédients secs et bien mélanger avec une cuillère. Répartir également la pâte dans le moule à muffins.

5. Cuire pendant 15 à 20 minutes ou jusqu'à ce que les muffins reprennent leur forme quand on les presse légèrement avec le doigt.

Valeur nutritive par portion		
Kilojoules. 922	Glucides . . . . 33 g	Calcium . . . . 49 mg
Kilocalories 221	Lipides. . . . . 8 g	Fer . . . . 2 mg
Protéines. . . . . 5 g	Fibres. . . . . 3 g	Sodium. . . . . 26 mg
Groupes alimentaires et échanges		**Légende**
Féculents. 1 1/2	Viandes et substituts. 0	
Fruits 1/2	Matières grasses 1	Mets végétarien
Légumes 0	Aliments	
Lait 0	avec sucre ajouté 0	

Pain aux bananes
et aux figues

PRÉPARATION	CUISSON	RENDEMENT
10 minutes	40 à 45 minutes	12 portions

Ingrédients

375 ml	farine de blé intégrale	1 ½ tasse
5 ml	soda à pâte	1 c. à thé
15 ml	poudre à pâte	1 c. à soupe
2 pincées	sel	2 pincées
2	œufs	2
60 ml	cassonade	¼ tasse
60 ml	huile de canola	¼ tasse
60 ml	lait ou boisson enrichie de soya ou de riz	¼ tasse
2	grosses bananes mûres écrasées	2
250 ml	figues séchées hachées	1 tasse

Préparation

1. Mélanger la farine, le soda, la poudre à pâte et le sel ; réserver.

2. Dans un autre bol, mélanger les œufs, la cassonade, l'huile, le lait ou la boisson végétale, les bananes et les figues. Ajouter aux ingrédients secs. Bien mélanger.

3. Verser dans un moule à pain préalablement huilé et cuire au four à 175 °C (350 °F) pendant 40 à 45 minutes.

Valeur nutritive par portion		
Kilojoules. 628	Glucides . . . . 23 g	Calcium . . . . 26 mg
Kilocalories 151	Lipides. . . . . 6 g	Fer . . . . 1 mg
Protéines. . . . . 4 g	Fibres. . . . . 4 g	Sodium. . . . . 16 mg

Groupes alimentaires et échanges		Légende
Féculents 1	Viandes et substituts. . . . 0	
Fruits . . . . ½	Matières grasses. 1	Mets végétarien
Légumes 0	Aliments	
Lait 0	avec sucre ajouté 0	

Poires à la ricotta

PRÉPARATION	CUISSON	RENDEMENT
10 minutes	45 minutes	16 portions

Ingrédients

796 ml	poires en conserve, égouttées	28 onces
30 ml	jus de citron	2 c. à soupe
5 ml	zeste de citron	1 c. à thé
90 ml	cassonade	6 c. à soupe
125 ml	farine tout usage	½ tasse
3	œufs	3
250 ml	fromage ricotta	1 tasse
250 ml	lait	1 tasse
30 ml	beurre fondu	2 c. à soupe
5 ml	vanille	1 c. à thé
30 ml	cassonade	2 c. à soupe

Préparation

1. Chauffer le four à 180 °C (350 °F). Trancher les poires et les placer dans un plat beurré de 25 cm x 16 cm (10 po x 6 ½ po); arroser de jus de citron et parsemer avec le zeste de citron.

2. Dans la jarre du mélangeur, mettre 90 ml (6 c. à soupe) de cassonade, la farine, les œufs, le fromage ricotta, le lait, le beurre, la vanille; bien mélanger. Verser sur les poires; saupoudrer avec 30 ml (2 c. à soupe) de cassonade.

3. Cuire pendant 45 minutes. Servir tiède.

Valeur nutritive par portion

Kilojoules. 509	Glucides . . . . 18 g	Calcium . . . . 58 mg
Kilocalories 122	Lipides. . . . . 4 g	Fer . . . . 1 mg
Protéines. . . . . 4 g	Fibres. . . . . 2 g	Sodium. . . . . 57 mg

Groupes alimentaires et échanges		Légende
Féculents 0	Viandes et substituts . . . . ½	
Fruits . . . . ½	Matières grasses. 0	Mets végétarien
Légumes 0	Aliments	
Lait 0	avec sucre ajouté . . . . . . ½	

Salade de fruits

PRÉPARATION	CUISSON	RENDEMENT
15 minutes	Aucune	12 portions

Ingrédients

2	pommes	2
15 ml	jus de citron	1 c. à soupe
1	grappe de raisins verts sans pépins	1
12	dattes dénoyautées	12
500 ml	bleuets	2 tasses
2	oranges	2
1 boîte de 398 ml	ananas en morceaux	1 boîte de 14 onces
15 ml	miel	1 c. à soupe

Préparation

1. Peler et couper en petits dés les pommes. Les placer dans un saladier et arroser avec le jus de citron. Bien mélanger.

2. Couper en deux les raisins. Couper en morceaux les dattes. Nettoyer les bleuets. Couper en petits morceaux les oranges.

3. Égoutter les ananas et réserver le jus ; couper en morceaux.

4. Mélanger le miel au jus d'ananas de la boîte. Verser le tout dans un bol avec les fruits et ajouter un peu de jus d'orange au goût. Servir.

Valeur nutritive par portion					
Kilojoules	314	Glucides	19 g	Calcium	21 mg
Kilocalories	75	Lipides	0 g	Fer	0 mg
Protéines	1 g	Fibres	2 g	Sodium	2 mg

Groupes alimentaires et échanges				Légende
Féculents	0	Viandes et substituts	0	
Fruits	1	Matières grasses	0	Sans produits laitiers
Légumes	0	Aliments		Mets végétarien
Lait	0	avec sucre ajouté	0	

Tapioca
aux amandes

PRÉPARATION	CUISSON	RENDEMENT
2 minutes	15 minutes	8 portions de 125 ml (¹/₂ tasse)

Ingrédients

1 litre	lait ou boisson de soya, de riz ou d'amande	4 tasses
60 ml	cassonade	¹/₄ tasse
80 ml	granules de tapioca	¹/₃ tasse
10 ml	essence d'amande	2 c. à thé

Préparation

1. Mettre les ingrédients ensemble dans une casserole. (Si on a le temps, on peut laisser tremper de 30 à 60 minutes, cela diminue le temps de cuisson.)

2. Chauffer à feu moyen-doux en remuant constamment, pendant environ 15 minutes ou jusqu'à ce que le mélange épaississe et que les granules de tapioca soient transparents.

Valeur nutritive par portion

Kilojoules. 362	Glucides . . . . 12 g	Calcium . . . . 30 mg
Kilocalories 87	Lipides. . . . . 3 g	Fer . . . . 1 mg
Protéines . . . . 4 g	Fibres. . . . . 0 g	Sodium. . . . . 40 mg

Groupes alimentaires et échanges · Légende

Féculents . . . . ¹/₂	Viandes et substituts. 0	
Fruits 0	Matières grasses 0	
Légumes 0	Aliments	Mets végétarien
Lait (sauf si boisson végétale non enrichie) . . . . ¹/₂	avec sucre ajouté 0	

Déjeuners

Crème Budwig
« Effiscience »

PRÉPARATION	CUISSON	RENDEMENT
10 minutes	Aucune	1 portion

Ingrédients

15 ml	graines de lin moulues	1 c. à soupe
15 ml	teff moulu *	1 c. à soupe
15 ml	amandes moulues	1 c. à soupe
1/2	banane écrasée	1/2
45 ml	yogourt ou dessert de soya fermenté aux fruits	3 c. à soupe
5 ml	huile de canola	1 c. à thé
1	pomme râpée	1
10 ml	vinaigre de cidre de pommes (ou jus de citron)	2 c. à thé

* Le teff peut être remplacé par une autre céréale : avoine, millet, épeautre, etc.

Préparation

1. Moudre les graines dans un robot ou un moulin à café (une sorte à la fois).

2. Dans un bol, écraser à la fourchette la moitié de la banane.

3. Ajouter le yogourt ou le dessert de soya, l'huile, les graines moulues, la pomme râpée et le vinaigre de cidre (ou le jus de citron). Mélanger. Servir immédiatement.

Valeur nutritive par portion				
Kilojoules 1233	Glucides . . . . 65 g		Calcium . . . . 104 mg	
Kilocalories 296	Lipides . . . . 8 g		Fer . . . . 1 mg	
Protéines . . . . 5 g	Fibres . . . . 5 g		Sodium . . . . 35 mg	
Groupes alimentaires et échanges			**Légende**	
Féculents 1 1/2	Viandes et substituts 0			
Fruits 2	Matières grasses 1 1/2		Mets végétarien	
Légumes 0	Aliments			
Lait 0	avec sucre ajouté 0			

Crème de riz
au miel et aux dattes

PRÉPARATION	CUISSON	RENDEMENT
5 minutes	5 minutes	1 portion

Ingrédients

250 ml	lait ou boisson enrichie de soya ou de riz	1 tasse
2 pincées	sel	2 pincées
2	dattes coupées en petits dés	2
5 ml	miel	1 c. à thé
60 ml	crème de riz non cuite	¼ tasse

Préparation

1. Verser le lait ou la boisson dans une petite casserole. Ajouter le sel et les dattes.

2. Chauffer à feu moyen-élevé, porter à ébullition. Ajouter le miel, remuer et ajouter la crème de riz en brassant constamment.

3. Baisser à feu moyen. Continuer de remuer jusqu'à épaississement.

Valeur nutritive par portion		
Kilojoules. 817	Glucides . . . . 36 g	Calcium . . . . 247 mg
Kilocalories 196	Lipides. . . . . 3 g	Fer . . . . 2 mg
Protéines. . . . . 7 g	Fibres. . . . . 4 g	Sodium. . . . . . . 150 mg
Groupes alimentaires et échanges		**Légende**
Féculents 1	Viandes et substituts. 0	
Fruits 1	Matières grasses 0	Mets végétarien
Légumes 0	Aliments	
Lait 1	avec sucre ajouté 0	

Crêpes de teff

PRÉPARATION	CUISSON	RENDEMENT
5 minutes	Environ 45 secondes par crêpe	6 petites crêpes

Ingrédients

125 ml	farine de teff	½ tasse
2 ml	bicarbonate de soude	½ c. à thé
2 pincées	sel	2 pincées
125 ml	lait ou boisson enrichie de soya ou de riz	½ tasse
10 ml	huile de canola ou de noisettes	2 c. à thé

Préparation

1. Mélanger les ingrédients secs dans un bol. Ajouter le lait ou la boisson végétale et l'huile. Mélanger avec un fouet pendant 15 secondes, laisser reposer 30 secondes et remuer à nouveau.

2. Étendre une petite quantité de pâte dans un poêlon antiadhésif bien chaud, cuire des deux côtés jusqu'à ce que la crêpe soit dorée.

3. Suggestions de garniture : beurre de noisettes, pommes tranchées et miel ; fromage à la crème et confiture d'abricots ; mangues tranchées et noix hachées ; yogourt à la vanille, fraises et sirop d'érable.

N.B. Manipuler ces crêpes avec soin car elles se brisent facilement.

Valeur nutritive par portion					
Kilojoules........383	Glucides.........15 g	Calcium........37 mg
Kilocalories.........92	Lipides............1 g	Fer.............6 mg
Protéines...........3 g	Fibres.............1 g	Sodium..........7 mg

Groupes alimentaires et échanges		Légende
Féculents.............1	Viandes et substituts.....0	
Fruits................0	Matières grasses........0	Mets végétarien
Légumes.............0	Aliments	
Lait.................0	avec sucre ajouté.......0	

Galettes de sarrasin

PRÉPARATION	CUISSON	RENDEMENT
5 minutes	30 à 45 secondes par galette	6 portions

Ingrédients

375 ml	farine de sarrasin	1 ½ tasse
250 ml	eau froide	1 tasse
2 ml	sel de mer	½ c. à thé
300 ml	eau bouillante	1 ½ tasse
10 ml	poudre à pâte	2 c. à thé

Préparation

1. Détremper la farine avec l'eau froide. Ajouter le sel et bien mélanger. Verser l'eau bouillante et bien brasser. Ajouter la poudre à pâte et battre vigoureusement le mélange en le soulevant, pendant au moins une minute.

2. Faire chauffer un poêlon antiadhésif (ne pas ajouter de corps gras), à feu moyen-vif pendant environ 5 minutes avant de verser le mélange en petites portions.

N.B. Il est important que le poêlon soit suffisamment chaud et demeure sur la cuisinière pendant la cuisson des galettes. Au début, on peut faire un essai en versant une petite quantité de pâte. La galette doit cuire rapidement et présenter beaucoup de petits trous sur un côté. Cette galette ne doit pas être retournée. On peut servir les galettes avec une infinité de garnitures : cretons maison, fromage, beurre d'arachide ou de noix, mélasse, sirop d'érable, fruits, compotes, etc.

Valeur nutritive par portion		
Kilojoules . . . . 161 kj	Glucides . . . . 34 g	Calcium . . . . 21 mg
Kilocalories . . . . 161 g	Lipides . . . . 2 g	Fer . . . . 1 mg
Protéines . . . . 6 g	Fibres . . . . 5 g	Sodium . . . . 408 mg
Groupes alimentaires et échanges		**Légende**
Féculents 2	Viandes et substituts 0	
Fruits 0	Matières grasses 0	Sans produits laitiers
Légumes 0	Aliments	Mets végétarien
Lait 0	avec sucre ajouté 0	

Granola maison

PRÉPARATION	CUISSON	RENDEMENT
15 minutes	10 minutes	5 portions de 125 ml (¹/₂ tasse).

Ingrédients

180 ml	flocons de sarrasin	³/₄ tasse
180 ml	flocons de millet	³/₄ tasse
80 ml	raisins secs	¹/₃ tasse
80 ml	amandes hachées grossièrement	¹/₃ tasse
60 ml	noix de coco râpée séchée	¹/₄ tasse
30 ml	miel	2 c. à soupe
30 ml	huile de canola	2 c. à soupe
1 pincée	sel	1 pincée

Préparation

1. Mélanger tous les ingrédients.

2. Presser dans un moule carré de 23 x 23 cm (9 x 9 pouces) huilé.

3. Cuire au four 10 minutes à 180 °C (350 °F). Laisser refroidir.

4. À l'aide d'une fourchette, défaire la préparation en morceaux.

Valeur nutritive par portion					
Kilojoules	1643	Glucides	62 g	Calcium	29 mg
Kilocalories	394	Lipides	14 g	Fer	2 mg
Protéines	9 g	Fibres	2 g	Sodium	70 mg

Groupes alimentaires et échanges				Légende
Féculents	3	Viandes et substituts	1	
Fruits	¹/₂	Matières grasses	2	Sans produits laitiers
Légumes	0	Aliments		Mets végétarien
Lait	0	avec sucre ajouté	1/2	

Gruau de teff

PRÉPARATION	CUISSON	RENDEMENT
3 minutes	7 minutes	1 portion de 325 ml (1 1/3 tasse)

Ingrédients

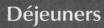

60 ml	teff brun en grains	1/4 tasse
30 ml	amandes entières	2 c. à soupe
250 ml	lait ou boisson enrichie de soya ou de riz	1 tasse
5 ml	miel	1 c. à thé

Préparation

1. Moudre le teff dans un moulin à café. Ensuite, moudre les amandes.

2. Mélanger le teff moulu, les amandes moulues et le lait ou la boisson enrichie dans une petite casserole.

3. Faire chauffer en brassant constamment jusqu'à consistance crémeuse.

4. Ajouter le miel. Servir.

Valeur nutritive par portion					
Kilojoules	1718	Glucides	56 g	Calcium	148 mg
Kilocalories	412	Lipides	17 g	Fer	5 mg
Protéines	16 g	Fibres	4 g	Sodium	174 mg

Groupes alimentaires et échanges			Légende
Féculents	3	Viandes et substituts	1	
Fruits	0	Matières grasses	2	Mets végétarien
Légumes	0	Aliments		
Lait	1	avec sucre ajouté	0	

Gruau de quinoa
parfumé à la noix de coco

PRÉPARATION	CUISSON	RENDEMENT
5 minutes	5 minutes	1 portion

Ingrédients

80 ml	flocons de quinoa	$1/3$ tasse
1 pincée	sel	1 pincée
60 ml	lait de coco	$1/4$ tasse
180 ml	eau	$3/4$ tasse
au goût	sirop d'érable ou miel	au goût
au goût	dattes ou autres fruits	au goût

Préparation

1. Mélanger les ingrédients dans une casserole. Cuire à feu moyen en remuant, jusqu'à épaississement.

2. Servir avec des dattes hachées ou des fruits.

Valeur nutritive par portion		
Kilojoules 1058	Glucides . . . . 24 g	Fer . . . . 4 mg
Kilocalories 253	Lipides . . . . 16 g	Calcium . . . . 32 mg
Protéines . . . . 5 g	Fibres . . . . 3 g	Sodium . . . . 21 mg
Groupes alimentaires et échanges		**Légende**
Féculents . . . . 1 $1/2$	Viandes et substituts 0	
Fruits 0	Matières grasses 3	Sans produits laitiers
Légumes 0	Aliments	Mets végétarien
Lait 0	avec sucre ajouté 0	

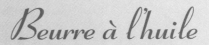

Beurre à l'huile

PRÉPARATION	CUISSON	RENDEMENT
5 minutes	Aucune	50 portions de 5 ml (1 c. à thé)

Ingrédients

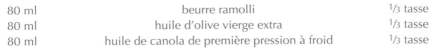

80 ml	beurre ramolli	¹/₃ tasse
80 ml	huile d'olive vierge extra	¹/₃ tasse
80 ml	huile de canola de première pression à froid	¹/₃ tasse

Préparation

1. Fouetter ensemble tous les ingrédients.

2. Réfrigérer. Utiliser comme tartinade ou comme matière grasse pour la cuisson.

Valeur nutritive par portion

Kilojoules. 150	Glucides . . . . 0 g	Calcium . . . . 0 mg
Kilocalories 36	Lipides. . . . . 4 g	Fer . . . . 0 mg
Protéines. . . . . 0 g	Fibres. . . . . 0 g	Sodium. . . . . 14 mg

Groupes alimentaires et échanges

Légende

Féculents 0	Viandes et substituts. 0	
Fruits 0	Matières grasses 1	Mets végétarien
Légumes 0	Aliments	
Lait 0	avec sucre ajouté 0	

Haricots au four

PRÉPARATION	TEMPS DE TREMPAGE	CUISSON	RENDEMENT
10 minutes	Normal : 8 heures Rapide : 1 heure	2 heures 30 minutes	6 portions

Ingrédients

400 ml	haricots blancs non cuits	1 ²/₃ tasse
1 litre	eau froide	4 tasses
5 ml	sel	1 c. à thé
15 ml	vinaigre de cidre	1 c. à soupe
15 ml	mélasse	1 c. à soupe
60 ml	ketchup aux tomates	¹/₄ tasse
au goût	poivre	au goût
1,25 litre	eau chaude	5 tasses
1	petit oignon entier	1

Préparation

1. Bien rincer les haricots. Les mettre dans l'eau froide et laisser tremper toute la nuit. (Méthode rapide : dans une casserole, amener les haricots à ébullition, laisser bouillir 2 minutes, retirer du feu et laisser reposer 1 heure).

2. Égoutter les haricots. Ajouter les condiments et l'eau chaude. Bien mélanger. Placer l'oignon entier au centre des haricots.

3. Couvrir et faire cuire au four à 200 °C (400 °F) environ 2 heures. Retirer le couvercle, ajouter un peu d'eau au besoin, réduire la température du four à 180 °C (350 °F) et laisser cuire 30 minutes de plus.

Valeur nutritive par portion		
Kilojoules. 910	Glucides . . . . .41 g	Calcium . . . . .138 mg
Kilocalories 218	Lipides. . . . . .1 g	Fer . . . . .5 mg
Protéines. . . . . .13 g	Fibres. . . . . .5 g	Sodium. . . . . . . .460 mg
Groupes alimentaires et échanges		**Légende**
Féculents. . . . . .2 ¹/₂	Viandes et substituts . . 1 ¹/₂	
Fruits 0	Matières grasses. 0	Sans produits laitiers
Légumes 0	Aliments	Mets végétarien
Lait 0	avec sucre ajouté 0	

Hummus

PRÉPARATION	CUISSON	RENDEMENT
10 minutes	**Aucune**	**11 portions de 60 ml (1/4 tasse)**

Ingrédients

540 ml	pois chiches cuits, égouttés	19 onces
2	oignons verts	2
1	gousse d'ail	1
15 ml	jus de citron	1 c. à soupe
60 ml	tahini (beurre de sésame)	1/4 tasse
2 pincées	cumin moulu	2 pincées
2 ml	sel	1/2 c. à thé
au goût	poivre frais moulu	au goût
60 ml	yogourt nature	1/4 tasse

Préparation

1. Au mélangeur, réduire en purée les pois chiches, les oignons verts et l'ail.

2. Ajouter le jus de citron, le tahini, le cumin, le sel, le poivre et le yogourt. Bien remuer.

Valeur nutritive par portion de 60 ml (1/4 tasse)		
Kilojoules. 384	Glucides . . . . 12 g	Calcium . . . . 56 mg
Kilocalories 92	Lipides. . . . . 4 g	Fer . . . . 1 mg
Protéines. . . . . 4 g	Fibres. . . . . 2 g	Sodium. . . . . 52 mg
Groupes alimentaires et échanges		**Légende**
Féculents 1/2	Viandes et substituts 1/2	
Fruits 0	Matières grasses 0	Mets végétarien
Légumes 0	Aliments	
Lait 0	avec sucre ajouté 0	

Sauce aux champignons

PRÉPARATION	CUISSON	RENDEMENT
10 minutes	12 minutes	6 portions

Ingrédients

15 ml	huile d'olive	1 c. à soupe
1	oignon haché finement	1
1	gousse d'ail émincée	1
125 ml	bouillon de bœuf	1/2 tasse
60 ml	vin rouge	1/4 tasse
30 ml	pâte de tomates	2 c. à soupe
250 ml	champignons frais émincés	1 tasse
1 pincée	herbes de Provence	1 pincée
1 pincée	sel	1 pincée
1 pincée	poivre	1 pincée
10 ml	fécule de maïs ou de tapioca	2 c. à thé

Préparation

1. Dans un petit chaudron, chauffer l'huile. Ajouter l'oignon et l'ail.

2. Cuire à feu doux 5 minutes sans laisser brunir.

3. Ajouter le bouillon de bœuf, le vin rouge, et la pâte de tomates. Amener à ébullition.

4. Ajouter les champignons et les assaisonnements. Mijoter à feu doux 3 minutes.

5. Ajouter la fécule de maïs délayée dans 30 ml (2 c. à soupe) d'eau froide. Cuire à nouveau jusqu'à épaississement.

Valeur nutritive par portion		
Kilojoules 358	Glucides . . . . 11 g	Calcium . . . . 41 mg
Kilocalories 86	Lipides . . . . 3 g	Fer . . . . 1 mg
Protéines . . . . 2 g	Fibres . . . . 1 g	Sodium . . . . 560 mg
Groupes alimentaires et échanges		**Légende**
Féculents 0	Viandes et substituts 0	
Fruits 0	Matières grasses 1/2	Sans produits laitiers
Légumes 1/2	Aliments	
Lait 0	avec sucre ajouté 0	

Vinaigrette
au beurre de noix

PRÉPARATION	CUISSON	RENDEMENT
5 minutes	Aucune	6 portions de 15 ml (1 c. à soupe)

Ingrédients

15 ml	huile d'olive	1 c. à soupe
45 ml	babeurre ou yogourt nature	3 c. à soupe
10 ml	beurre de noix *	2 c. à thé
5 ml	vinaigre de cidre	1 c. à thé
15 ml	jus de citron	1 c. à soupe
2 ml	sauce tamari ou sauce soya	½ c. à thé
1 pincée	estragon	1 pincée
au goût	sel et poivre	au goût

* Voici des beurres de noix suggérés : macadamia, sésame, noisette, amande, acajou, chanvre, etc.

Préparation

1. Fouetter ensemble les ingrédients.

2. Servir sur la salade de votre choix.

Valeur nutritive par portion		
Kilojoules. 131	Glucides . . . . 1 g	Calcium . . . . 10 mg
Kilocalories 32	Lipides. . . . . 3 g	Fer . . . . 0 mg
Protéines. . . . . 0 g	Fibres. . . . . 1 g	Sodium. . . . . 8 mg

Groupes alimentaires et échanges		Légende
Féculents 0	Viandes et substituts. 0	
Fruits 0	Matières grasses . . . . ½	Mets végétarien
Légumes 0	Aliments	
Lait 0	avec sucre ajouté 0	

Amarante : Plante herbacée originaire du Mexique, dont les grains minuscules sont comestibles et s'emploient comme céréales. L'amarante est très riche en protéines et en calcium. Ne pas confondre avec la marante ou maranta (arrowroot) qui est l'amidon d'une plante racine tubéreuse.

Bok choy : Variété de chou chinois. Les tiges sont blanches, juteuses et croquantes, tandis que les feuilles sont vert foncé et de saveur douce. Il s'emploie dans les sautés ou les soupes à l'orientale.

Bulghur : Grain de blé dont le son a été retiré, il est ensuite traité à la vapeur et (ou boulghour) moulu en semoule.

Câpres : Fruits du câprier, ces petites baies vertes sont habituellement vendues marinées et salées. Elles servent de condiment pour les sauces, mayonnaises, salades et tartares; elles agrémentent aussi le saumon fumé.

Caroube : Fruit du caroubier, la caroube fait partie de la famille des légumineuses. Elle sert de substitut au cacao, dont les propriétés en cuisine sont similaires.

Citronnelle : Cette plante herbacée est aussi appelée « jonc odorant ». Elle dégage une huile essentielle citronnée et se marie bien avec les mets asiatiques. On la fait souvent infuser ou bouillir en gardant les tiges entières. On la retire généralement des plats, car elle est très fibreuse.

Courgette : Petite courge verte oblongue ressemblant au concombre, de saveur (ou zucchini) douce, dont la peau est fine et comestible.

Crème de riz : Semoule fine de riz, prête à la cuisson. Se prépare en céréale chaude, comme la crème de blé. On la sert habituellement au déjeuner.

Délayer : En cuisine, détremper une substance, habituellement de l'amidon, dans un liquide froid, afin de l'incorporer plus facilement dans une sauce ou une soupe.

Épeautre : Variété de blé qui fut cultivée en Europe jusqu'au début du 20e siècle. Ses propriétés sont semblables à celles du blé tendre. Peut remplacer la farine à pâtisserie ou la farine tout usage.

Feta : Fromage sec habituellement conservé en saumure, fait de lait de brebis, de vache ou de chèvre ou d'un mélange de ces laits. Il est blanc, très salé et s'emploie notamment dans les salades grecques.

Juliennes : Légumes coupés en filaments minces.

Kamut : Variété de blé dont l'origine remonterait à l'ancienne Égypte. Il se comporte comme un blé dur et est souvent employé pour fabriquer du pain et des pâtes. Il peut remplacer la farine de blé entier ou la farine tout usage.

Levure : Sous-produit de la fermentation de la levure, un champignon microalimentaire scopique, la levure alimentaire est dépourvue de pouvoir de fermentation. Elle est consommée comme supplément nutritif à cause de sa richesse en vitamines du complexe B et en protéines.

Macadamia : Noix originaire d'Australie, elle était consommée par les Aborigènes depuis fort longtemps. C'est une noix savoureuse, tendre et croquante. Sa teneur élevée en huile en fait un aliment énergétique.

Mélasse verte : Résidu du raffinage du sucre de canne, la mélasse verte provient de la
(blackstrap) troisième extraction. Elle est plus foncée, moins sucrée et sa saveur est
plus prononcée que celle issue des deux premières extractions. Cette
mélasse est la plus nutritive, elle contient du fer et du calcium.

Miso : Pâte de haricots de soya fermentée, le miso est très salé. Il s'emploie
comme condiment pour rehausser divers plats ou comme base pour les
soupes. On l'ajoute en fin de cuisson, en évitant de le faire bouillir, pour
préserver les enzymes qu'il contient.

Patate douce : Racine tubéreuse ressemblant à la pomme de terre, mais n'ayant aucune parenté avec cette dernière. Sa chair sucrée et savoureuse est blanche
ou orangée. Elle se prépare comme la pomme de terre.

Quinoa : Grains originaires d'Amérique du Sud, employés comme céréales, ils
font partie de la famille des chénopodiacées (comme les épinards et les
betteraves). Les grains de quinoa sont petits et savoureux, ils doivent
être rincés avant cuisson pour enlever la saponine, une substance savon-
neuse et amère. Ils contiennent beaucoup de protéines et de calcium.

Radis daïkon : Radis oriental de couleur blanche, dont la forme rappelle celle d'une
grosse carotte. Sa chair juteuse et croquante est relativement douce. Il
se mange cru ou cuit.

Sarrasin : Grain en forme de polygone; le sarrasin n'est pas vraiment une céréale, mais s'utilise comme telle. Excellente source de magnésium, le sarrasin se digère aisément.

Son de riz : Enveloppe du grain de riz, riche en fibres, en vitamine du complexe B,
en fer et en magnésium. On l'ajoute aux céréales chaudes ou aux pré-
parations à base de farine, comme les muffins. Se conserve de préférence au congélateur, dans un emballage hermétique.

Tahini : Pâte faite de graines de sésame broyées. La texture coulante du tahini
se prête à diverses utilisations, notamment dans les sauces, les mets principaux et les desserts.

Tamari : Variété de sauce de soya fermentée, à l'origine fabriquée sans céréale.
Condiment très salé, à utiliser en petite quantité.

Tapioca : Amidon extrait de la racine de manioc, transformé en perles, en granules ou en farine. Il sert à épaissir sauces et poudings.

Teff : Céréale apparentée au millet, originaire des hauts plateaux de l'Éthio-
pie. Certains considèrent le teff comme la céréale la plus nutritive au
monde. Les grains sont petits, denses et savoureux. On retrouve le teff
dans certaines boutiques d'aliments naturels. Il est riche en fer et en
fibres.

Tortilla : Pain plat d'Amérique latine, fait habituellement d'une farine de maïs
additionnée de chaux et donc riche en calcium. Les tortillas vendues
en Amérique du Nord sont une imitation et sont souvent faites de farine de blé raffiné ou entier.

MESURES DE VOLUMES (liquides)

MÉTRIQUE	IMPÉRIAL	
1 ml	¼ c. à thé	
2 ml	½ c. à thé	
5 ml	1 c. à thé	
7 ml	½ c. à soupe	
15 ml	1 c. à soupe	
30 ml	2 c. à soupe	1 once
60 ml	1 c. à soupe ou ¼ tasse	2 onces
80 ml	⅓ tasse	
125 ml	½ tasse	4 onces
160 ml	⅔ tasse	
180 ml	¾ tasse	
250 ml	1 tasse	8 onces
375 ml	1 ½ tasse	12 onces
500 ml	2 tasses	16 onces
1 litre ou 1 000 ml	4 tasses	32 onces
1,25 litre ou 1 250 ml	5 tasses	40 onces ou 1 pinte
5 litres ou 5 000 ml	20 tasses	160 onces ou 4 pintes ou 1 gallon

MESURES DE POIDS

MÉTRIQUE	IMPÉRIAL	
30 g	1 once	
115 g	4 onces	¼ lb
225 g	8 onces	½ lb
350 g	12 onces	¾ lb
454 g	16 onces	1 lb
1 000 g ou 1 kg	36 onces	2 ¼ lb

TEMPÉRATURE

°C	°F	°C	°F	°C	°F
0°	32°	150°	300°	230°	450°
95°	200°	160°	325°	245°	475°
100°	212°	175°	350°	260°	500°
105°	225°	190°	375°	275°	525°
120°	250°	205°	400°	290°	550°
135°	275°	220°	425°		

Longueur : 1 pouce = 2,54 cm = |————————|

GUIDE DE CUISSON POUR 250 ML (1 TASSE)
DE LÉGUMINEUSES SÈCHES

Sorte	Temps de trempage	Quantité de liquide pour cuire	Temps de cuisson*
HARICOTS			
Aduki	2 à 3 heures	750 ml (3 tasses)	1 à 1 $\frac{1}{2}$ heure
Blanc	8 à 12 heures	750 ml (3 tasses)	1 $\frac{1}{2}$ à 2 heures
Dolique à œil noir	8 à 12 heures	750 ml (3 tasses)	40 minutes
Flageolet	4 à 6 heures	750 ml (3 tasses)	1 $\frac{1}{4}$ à 1 $\frac{1}{2}$ heure
Lima géant	8 à 12 heures	500 ml (2 tasses)	1 $\frac{1}{2}$ à 2 heures
Lima petit	8 à 12 heures	500 ml (2 tasses)	1 à 1 $\frac{1}{2}$ heure
Mung	Non nécessaire	625 ml (2 $\frac{1}{2}$ tasses)	45 minutes à 1 $\frac{1}{2}$ heure
Noir	8 à 12 heures	1 litre (4 tasses)	1 à 1 $\frac{1}{2}$ heure
Pinto	8 à 12 heures	750 ml (3 tasses)	2 à 2 $\frac{1}{2}$ heures
Romain	8 à 12 heures	750 ml (3 tasses)	30 à 45 minutes
Rouge	8 à 12 heures	750 ml (3 tasses)	1 à 1 $\frac{1}{2}$ heure
Soya	8 à 12 heures	750 ml (3 tasses)	2 $\frac{1}{2}$ à 3 heures
FÈVES			
Gourgane	8 à 12 heures	750 ml (3 tasses)	1 $\frac{1}{2}$ à 2 heures
LENTILLES			
Brune	Non nécessaire	750 ml (3 tasses)	25 à 45 minutes
Rouge	Non nécessaire	750 ml (3 tasses)	15 à 20 minutes
Verte	Non nécessaire	750 ml (3 tasses)	45 à 55 minutes
POIS			
Cassé	Non nécessaire	750 ml (3 tasses)	45 à 60 minutes
Chiche	8 à 12 heures	1 litre (4 tasses)	2 à 3 heures
Jaune	8 à 12 heures	750 ml (3 tasses)	1 $\frac{1}{2}$ à 3 heures

* Peut varier selon la fraîcheur des légumineuses.
Plus elles sont conservées longtemps, plus elles sont longues à cuire.

Céréale	Grains	Flocons	Farine	Semoule/crème
Riz brun à grains longs ou à grains courts	Entier : 1 partie de céréale pour 2 parties de liquide. Cuisson : 40 minutes.	Gruau : 1 partie de céréale pour 4 parties de liquide. Cuisson : 8 minutes. Pour confectionner croustades, biscuits, muffins, granola maison.	Pour épaissir sauces et ragoûts; pour muffins, crêpes, gâteaux, pains, biscuits, gaufres, etc.	Crème de riz : 1 partie de céréale pour 4 parties de liquide. Cuisson : 5 minutes.
Riz sauvage	Entier : 1 partie de céréale pour 2 ½ parties de liquide. Cuisson : 45 à 50 minutes.	Non disponible.	Non disponible.	N/A
Riz blanc	Entier : 1 partie de céréale pour 2 parties de liquide. Cuisson : 15 minutes.	Non disponible.	Pour épaissir sauces et ragoûts; pour confectionner craquelins, muffins, biscuits, gâteaux, crêpes, gaufres, etc.	N/A
Teff	Entier : 1 partie de céréale pour 2 parties de liquide. Cuisson : 15 minutes. Amener le liquide à ébullition, ajouter le teff et laisser cuire à feu doux en remuant de temps à autre. Le teff ainsi cuit demeure compact. Cependant, quand il refroidit, il devient ferme et peut se détacher à la fourchette.	Non disponible.	Utiliser pour galettes, crêpes, muffins, biscuits, gâteaux, gaufres, etc.	Moudre brièvement dans le moulin à café. Crème : 1 partie de céréale pour 4 parties de liquide. Cuisson : 7 minutes.
Amarante	Entier : 1 partie de céréale pour 2 parties de liquide. Amener à ébullition, couvrir, ne pas entrouvrir durant la cuisson. Durée : 25 à 30 minutes à feu doux.	Non disponible.	Utiliser pour galettes, crêpes, muffins, biscuits, gâteaux, etc.	Moudre brièvement dans le moulin à café. Crème : 1 partie de céréale pour 4 parties de liquide. Cuisson : 10 minutes.

	Entier / Grain	Gruau / Flocons	Farine	Crème / Semoule
Sarrasin	Entier : 1 partie de céréale pour 2 parties de liquide. Cuisson : 15 à 30 minutes. - Pour rehausser sa saveur, le mélanger à un œuf battu et le faire dorer à la poêle avant de le cuire à l'eau. - Utiliser dans le pâté chinois (remplace les pommes de terre), les soupes, les casseroles de légumineuses, les ragoûts, etc.	Gruau avec flocons : 1 partie de céréale pour 4 parties de liquide. Cuisson : 8 à 10 minutes. Pour confectionner croustades, biscuits, muffins, granola maison, etc.	Utiliser pour galettes, gaufres, crêpes, muffins, biscuits, gâteaux, polenta, nouilles, etc.	Gruau avec semoule: 1 partie de céréale pour 4 parties de liquide. Cuisson : 8 à 10 minutes.
Quinoa	Entier : 1 partie de céréale pour 2 parties de liquide. Cuisson : 15 minutes. - BIEN RINCER AVANT DE CUIRE - Utiliser en accompagnement, en pilaf, dans les soupes et casseroles, en remplacement du couscous, en croquettes, en pouding, dans les salades.	Gruau : 1 partie de céréale pour 3 parties de liquide. Cuisson : 10 minutes. Pour confectionner croustades, biscuits, muffins, granola maison, etc.	Utiliser pour crêpes, muffins, biscuits, gâteaux, pains, gaufres, comme épaississant pour les sauces, pour confectionner des tortillas, etc.	Moudre brièvement dans le moulin à café. Crème : 1 partie de céréale pour 4 parties de liquide. Cuisson : 7 à 10 minutes.
Tapioca	Entier : 1 partie de granules pour 8 parties de liquide. Durée de cuisson variable. Cuire en remuant jusqu'à transparence des grains. Pour poudings au tapioca ou comme épaississant pour sauces et ragoûts.	Non disponible.	Utiliser comme épaississant pour les sauces. Appelé aussi fécule ou amidon de tapioca.	N/A
Kamut	Entier : 1 partie de céréale pour 3 parties d'eau. Cuisson : 2 ½ heures.	Gruau : 1 partie de céréale pour 2 parties de liquide. Cuisson : 15 minutes. Pour confectionner croustades, biscuits, muffins, granola maison, etc.	Pour remplacer la farine de blé entier, utiliser une quantité équivalente de farine de kamut.	Moudre brièvement dans le moulin à café Crème : 1 partie de céréale pour 4 parties de liquide. Cuisson : 15 à 20 minutes.

Céréale	Grains	Flocons	Farine	Semoule/crème
Épeautre	Entier : 1 partie de céréale pour 3 parties d'eau. Cuisson : 2 ½ heures.	Gruau : 1 partie de céréale pour 2 parties de liquide. Cuisson : 15 minutes. Pour confectionner croustades, biscuits, muffins, granola maison, etc.	Pour remplacer 1 partie de farine de blé entier, utiliser 1 1/4 partie de farine d'épeautre.	Moudre brièvement dans le moulin à café. Crème : 1 partie de céréale pour 4 parties de liquide. Cuisson : 15 à 20 minutes.
Millet	Entier : 1 partie de céréale pour 2 3/4 parties de liquide. Cuisson : 40 minutes. Utiliser en pilaf, comme accompagnement, en croquettes, dans les soupes et les casseroles.	Gruau : 1 partie de céréale pour 4 parties de liquide. Cuisson : 5 minutes. Pour confectionner croustades, biscuits, muffins, granola maison, etc.	Utiliser pour crêpes, muffins, biscuits, gâteaux, pains, gaufres, comme épaississant pour les sauces, pour confectionner des tortillas, etc.	Couscous : 1 partie de céréale pour 2 parties d'eau. Bouillir 5 minutes et laisser reposer 20 minutes. Polenta : 1 partie de céréale pour 3 parties d'eau. Cuire 15 minutes couvert, en remuant de temps en temps. Étaler dans un plat allant au four et cuire 15 minutes à 300 °F.
Bulghur	Par trempage : mettre à tremper dans un liquide bouillant (1 partie de céréale pour 2 parties de liquide) pendant 1 heure puis égoutter. Par mijotage : faire bouillir pendant 30 minutes à faible intensité (1 partie de céréale pour 2 parties de liquide).			
Couscous	Mettre à tremper dans un liquide chaud (1 partie de céréale pour 1 ½ partie de liquide) et laisser reposer 10 minutes. Remuer avant de servir.			
Orge perlé	Utiliser 1 partie de céréale pour 2 parties de liquide. Cuire pendant 30 minutes.			
Orge mondé	Utiliser 1 partie de céréale pour 3 parties de liquide et cuire pendant environ 1 heure à feu doux. Il est préférable de faire tremper l'orge plusieurs heures avant de le cuire. Utiliser le liquide de trempage pour la cuisson.			

TABLE DES MATIÈRES

TABLE DES MATIÈRES

Références de l'introduction

1. A. KEYS, *Seven Countries. A multivariate analysis of death and coronary heart disease.* Cambridge, Harvard University Press, 1980.

2. M. DE LORGERIL, S. RENAUD, N. MAMELLE et al., « Mediterranean alpha-linolenic acid-rich diet in secondary prevention of coronary heart disease. » *Lancet.* 1994;343:1454-9.

3. M. DE LORGERIL, P. SALEN, JL. MARTIN, I. MONJAUD, P. BOUCHER, N. MAMELLE, « Mediterranean dietary pattern in a randomized trial: prolonged survival and possible reduced cancer rate. » *Arch Intern Med.* 1998 Jun 8;158(11):1181-7.

4. A. TAVANI, C. LA VECCHIA, « Fruit and vegetable consumption and cancer risk in Mediterranean population. » *Am J Clin Nutr.* 1995;61 (Suppl):S1374-7.

5. A. TRICHOPOULOU et al., « Adherence to a mediterranean diet and survival in a Greek population. » *N Engl J Med.* 2003;348(26):2599-608.

6. ML. BURR, AM. FEHILY, JF. GILBERT et al., « Effects of changes in fat, fish and fibre intakes on death and myocardial reinfarction : diet and reinfarction trial (DART) » *Lancet.* 1989;334:757-61.

7. S. RENAUD, *Le régime santé*, Paris, Éditions Odile Jacob, 1998, 225 p.

8. American Heart Association, « AHA Dietary guidelines; Revision 2000 : A statement for healthcare professionals from the Nutrition Committee of the American Heart Association. » *Circulation.* 2000;102:2284-99.

9. SM. MOELLER, PF. JACQUES, JB. BLUMBERG, « The potential role of dietary xanthophylls in cataract and age-related macular degeneration. » *J Am Coll Nutr.* 2000 Oct;19(5 Suppl):S522-7.

10. M. BÉÏQUE, J. CYR, et M. LUCAS, *Le régime crétois adapté, une alimentation saine.* Québec, Éditions Alimera, 1999.

11. WC. WILLETT et Harvard School of Public Health, *Eat, drink and be healthy.* New York, Simon and Chuster, 2001, 304 p.

12. AL. MURKIES, C. LOMBARD, BJG. STRAUSS, G. WILCOX, HG. BURGER, MS. MORTON, « Dietary flour supplementation decreases postmenopausal hot flushes: effect of soy and wheat. » *Maturitas.* 1995;21:189-95.

13. MJ. MESSINA et al., « Soy intake and cancer risk: a review of the in vitro and in vivo data. » *Nutr Cancer.* 1994;21(2):113-31.

14. HC. BLAIR, E. JORDAN, TG. PETERSON, S. BARNES, « Variable effects of tyrosine kinase inhibitors on avian osteoclastic activity and reduction of bone loss in ovariectomized rats. » *J Cell Biochem.* 1996;61:629-37.

15. SM. POTTER, JA. BAUM, H. TENG, RJ. STILLMAN, NF. SHAY, JW. ERDMAN, « Soy protein and isoflavones : their effects on blood lipids and bone density in post menopausal women. » *Am J Clin Nutr.* 1998;68(Suppl):S1375-9

Bibliographie

JACQUES, Lise. *Sans viande pourquoi pas !*, Québec, Éditions Montcalm, 1998, 128 p.

LAMONTAGNE, Danielle. *Festins végétariens*,1996, 65 p.

LEWIS, Sondra K. *Allergy and candida cooking – Rotational style*, Coralville (Iowa), Canary Connect Publications, 1995, 370 p.

SEARS, Barry et LAWREN, Bill. *Le juste milieu dans votre assiette*, Montréal, Éditions De l'Homme, 1997, 297 p.

SEIGNALET, Jean. *L'Alimentation ou la 3ᵉ médecine*, Paris, Éditions François-Xavier de Guibert, 1998, 490 p.

FORTIN, François. *L'Encyclopédie visuelle des aliments*, Montréal, Éditions Québec/Amérique, 1996, 688 p.

Mes recettes, Les Cercles des fermières du Québec, 1991, 319 p.